≡ 昌明文庫・悅讀國學 ≡

一口氣讀完

百部中國名著

下冊

李志敏————編著

第三章　萬紫千紅的隋唐五代時期

第四章　承前啟後的宋元時期

第五章　包羅萬象的明清時期

第六章　沉浮跌宕的中國現代時期

第七章　融合激揚的中國當代時期

六

沉浮跌宕的中國現代時期

《嘗試集》
（1920） 胡適

■ 一句話點評

《嘗試集》的價值主要在於與人放膽創作的勇氣，以及從中體現的空前千古，下開百世的先驅者的精神。

——陳子展

■ 一口氣速讀

《嘗試集》是中國現代文學史上第一部白話詩集，首開新文學運動的風氣，是胡適先生里程碑式的著作。

《嘗試集》的創作開始於一九一六年七月，其中的詩可分為三個時期，第一期寫於留美期間，後兩期寫於歸國後。

第一期為刷洗過的舊詩，其中〈蝴蝶〉、〈他〉為例外。至於〈贈朱經農〉、〈黃克強先生哀辭〉為七言歌行；〈中秋〉為七言絕；〈江上〉、〈十二月五日夜月〉、〈病中得冬秀書〉、〈赫貞旦答叔永〉、〈景不徙篇〉、〈朋友篇〉、〈文學篇〉，皆為五言絕或五言古。詞如〈沁園春〉、〈生查子〉、〈百字令〉，不過改字句為白話而已，形式則沿用舊調，毫無更改。

第二期為自由變化的詞調時期。這時期的詩雖然打破了五言七言的整齊句法，雖然改成長短不整齊的句子；但是初做的幾首如〈一念〉、〈鴿子〉、〈新婚雜詩〉、〈四月二十五夜〉，都還脫不了詞曲的氣味與音節，只有〈老鴉〉與〈老洛伯〉為例外。

第三期為純粹的新體。〈關不住了〉為譯品，胡適自命為新詩成立的新紀念。〈應該〉、〈你莫忘記〉、〈威權〉、〈樂觀〉、〈上山〉、〈周歲〉、〈一顆遭劫的星〉，都極其自由、自然，胡適認為是他自己新詩進化的最高一步。

▌ 一段傑出的篇章

一

這株大樹很可惡，
他礙著我的路！
來！
快把他砍倒了，
把樹根也掘去，
哈哈！好了！

二

大樹被砍做柴燒，
樹根不久也爛完了。
砍樹的人很得意，
他覺得很平安了。

三

但是那樹還有許多種子！

很小的種子，裹在有刺的殼兒裡！

上面蓋著枯葉，

葉上堆著白雪，

很小的東西，誰也不注意。

四

雪消了，

枯葉被春風吹跑了。

那有刺的殼都裂開了，每個上面長出兩瓣嫩葉，笑眯眯的好像是說：

「我們又來了！」

▋ 一分鐘感悟

1. 剩下那一個，孤單怪可憐；也無心上天，天上太孤單。

2. 雲淡天高，好一片晚秋天氣！

▋ 一個人的歷史

胡適（西元1891年-西元1962年），原名嗣穈，學名洪騂，字希疆，後改名胡適，字適之，筆名天風、藏暉等。安徽績溪人，現代詩人、學者。

胡適生於一個官僚地主兼商人家庭，幼時就讀於家塾，習四書五經。九歲起熟讀多種中國古典小說。一九〇四年赴上海，入梅溪學

堂、澄衷學堂、中國公學等校。一九一〇年赴美國留學，一九一四年在康奈爾大學獲文學士學位後，入哥倫比亞大學讀哲學，師從杜威，深受影響。一九一七年完成博士論文後回國，任北京大學教授，積極參加新文化運動和文學革命運動，發表《文學改良芻議》，提出文學改良要從「八事」入手，首次猛烈抨擊封建文學，是反對文言文、提倡白話文的首篇正式宣言，為文學革命的發難之作，引起很大反響。在三〇、四〇年代，胡適還從事中國思想史的學術研究工作。一九五八年任臺灣的中央研究院院長。晚年主要致力於《水經注》的研究，後病逝於臺灣。

▊ 一點賞析的建議

閱讀《嘗試集》，也許會驚異於它的文學性的匱乏，是的，《嘗試集》作為第一部現代白話詩集，就像所有開拓性的文本一樣，是將鮮明的刨新性和局限性融於一體的。《嘗試集》僅從文學欣賞的角度來說，的確不能算是一部經典的詩集。但是，換一個角度，即文學史的意義上看，它又是進入現代文學不可不談的一部「經典」。

讀者在閱讀《嘗試集》時要把握以下特點：一是胡適是中國新詩史上最先嘗試「以白話入詩」的人。二是注意早期白話詩使用白描、比喻等手法，不用韻，不顧及長短句穿插的特點。

《沉淪》
（1921） 郁達夫

▌一句話點評

郁達夫的清新的筆調，在中國枯槁的社會裡好像吹來了一股春風，立刻吹醒了當時無數青年的心。

——郭沫若

▌一口氣速讀

現代作家郁達夫的短篇小說集《沉淪》是中國現代文學史上第一本短篇小說集。《沉淪》收錄了三篇短篇小說，即〈沉淪〉、〈南遷〉、〈銀灰色的死〉，另有一篇「自序」。

其中〈沉淪〉一篇是「描寫一個病態的青年的心理，也可以說是青年憂鬱病的解剖，裡邊也帶敘現代人的苦悶」。主人公「他」，是個生活在日本的中國留學生，酷愛自由，又有著多愁善感的性格，慣於生活在無限的幻想中。在這冷酷的世界裡，他熱愛生活卻又不被人理解，才華橫溢卻又無所作為，希望麻醉自己，而良心又不得安寧。他整天過著孤寂的生活，無法和同學和睦相處。他受到異類民族的歧視和社會的冷淡，同時又感受不到祖國的溫暖。他時刻感受著作為一個弱國子民的自卑。他憤世嫉俗，孤僻自卑，喜歡獨自跑到人跡罕至

的山腰水畔去讀詩流淚，顧影自憐。他渴望得到同情，以及由同情而來的真心實意的愛情，但由於膽怯和自卑又不敢向任何人傾訴，而是自我壓抑。這種追求人類的愛與同情而得不到的境遇造成他的心理變態。他要在性的方面去尋求解脫，因而他在生理上摧殘與損害自己，他去尋求擺脫性的苦悶的刺激，甚至進出妓院。可是，對於一個內心受過創傷的人來說，這條悲慘的道路不能使他得到真正的滿足。最後他感到：「我所求的愛情，大約是求不到了。沒有愛情的生涯，豈不同死灰一樣麼？唉，這乾燥的生涯，這乾燥的生涯。世上的人又都在那裡仇視我，欺侮我……我將何以為生，我又何必生存在這麼苦的世界裡呢！」

悔恨和自責使他對生活喪失了勇氣和信心，他把大海作為自己的歸宿，讓自己沉淪於萬頃碧波中，來洗滌道德沉淪的污穢。當他和這冰冷的世界告別時，他隔海遙望他曾熱愛的祖國，向祖國發出撕裂人心的呼喊：

「祖國呀祖國，我的死是你害我的！
你快富起來，強起來罷！
你還有許多兒女在那裡受苦呢！」

作品主人公的這種苦悶，代表了「五四」時期那些受壓迫、開始覺醒而自身又帶病態的知識青年的共同心理。因此，它帶有明顯的時代特徵。

此外，〈南遷〉寫留日學生伊人在C夫人處療養時發生的故事，他的苦悶、追求及變態心理；〈銀灰色的死〉寫留日學生Y君與酒館

侍者的一段感情糾葛，最後Y君因腦溢血而死。

上述三篇小說，深受日本「私小說」的影響，體現著他所主張的「文學作品，都是作家的自敘傳」的文學觀，因此有很強的自傳性，從小說主人公的身上可以看到作者自己的影子。短篇小說集《沉淪》之所以在當時產生影響，是他利用小說寫出了他那個時代，突出了「時代病」，具有普遍與廣泛的意義。

▌一段傑出的篇章

停了一會，那侍女把酒菜搬了進來，跪坐在他的面前，親親熱熱的替他上酒。他心裡想仔仔細細的看她一看，把他的心裡的苦悶都告訴了她，然而他的眼睛怎麼也不敢平視她一眼，他的舌根怎麼也不能搖動一搖動。他不過同啞巴一樣，偷看看她那擱在膝上的一雙纖嫩的白手，同衣縫裡露出來的一條粉紅的圍裙角。

原來日本的婦人都不穿褲子，身上貼肉只圍著一條短短的圍裙。外邊就是一件長袖的衣服，衣服上也沒有鈕扣，腰裡只縛著一條一尺多寬的帶子，後面結著一個方結。她們走路的時候，前面的衣服每一步一步的掀開來，所以紅色的圍裙，同肥白的腿肉，每次都能偷看。這是日本女子特別的美處；他在路上遇見女子的時候，注意的就是這些地方。他切齒的痛　自己，畜生！狗賊！卑怯的人！也便是這個時候。

他看了那侍女的圍裙角，心頭便亂跳起來。愈想同她說話，但愈覺得講不出話來。大約那侍女被看得不耐煩起來了，便輕輕的問他說：

「你府上是什麼地方？」

一聽了這一句話，他那清瘦蒼白的面上，又起了一層紅色；含含糊糊的回答了一聲，他訥訥的總說不出清晰的回話來。可憐他又站在斷頭臺上了。

原來日本人輕視中國人，同我們輕視豬狗一樣。日本人都叫中國人作「支那人」，這「支那人」三字，在日本，比我們罵人的「賤賊」還更難聽，如今在一個如花的少女前，他不得不自認說「我是支那人」了。

「中國呀中國，你怎麼不強大起來！」

他全身發起抖來，他的眼淚又快滾下來了。

——〈沉淪〉

▌一分鐘感悟

1. 命運愛情的生涯，豈不同死灰一樣嗎？

2. 這裡就是你的避難所。世間的一般人都在那裡嫉妒你，輕笑你，愚弄你；只有這大自然這終古常新的蒼空皎日，這晚夏的風，這初秋的清氣，還是你的朋友，還是你的慈母，還是你的情人，你不必再到世上去與那些輕薄的男女共處去，你就在這大自然的懷裡，這淳樸的鄉間終老了罷。

▌一個人的歷史

郁達夫（西元1896年-西元1945年），名文，字達夫，出生於富陽滿洲弄（今達夫弄）的一個知識分子家庭。郁達夫家庭貧困的生活促使發憤讀書，成績斐然。一九一三年隨長兄赴日本留學，畢業於東京

帝國大學經濟學部。郁達夫是著名的新文學團體「創造社」的發起人之一，他的小說集《沉淪》，被公認是震世駭俗的作品。他的散文、舊體詩詞、文藝評論和雜文政論也都自成一家，不同凡響。

郁達夫在文學創作的同時，積極參加各種反帝抗日組織，先後在上海、武漢、福州等地從事抗日救國宣傳活動。一九三八年底，郁達夫應邀赴新加坡辦報並從事宣傳抗日救亡活動，星洲淪陷後流亡至蘇門答臘島，因精通日語被迫做過日軍翻譯，其間利用職務之便暗暗救助，保護了大量文化界流亡難友、愛國僑領和當地居民。一九四五年被日本憲兵殘酷殺害，終年四十九歲。一九五二年經中央人民政府批准，追認為革命烈士。

▌ 一點賞析的建議

大膽的自我暴露和單純的抒情筆調是郁達夫小說共同的特色，讀者應該聯繫當時的歷史，理解其中那些露骨的性描寫的積極意義。

《雨天的書》
（1923） 周作人

■ 一句話點評

　　周作人二十世紀四〇年代所寫的散文，格調「一變而為枯澀蒼老，爐火純青，歸入古雅遒勁的一途」。

──郁達夫

■ 一口氣速讀

　　《雨天的書》是最可代表周作人前期隨筆的風格特色，用他自己在〈自序二〈中講的「我近來作文極慕平淡自然的境地」來形容恰當不過。作者在《雨天的書》的自序裡說：「今年冬天特別的多雨，因為是冬天了，究竟不好意思傾盆的下，只是蜘蛛絲似的一縷縷的灑下來。雨雖然細得望去都看不見，天色卻非常陰沉，使人十分氣悶。在這樣的時候，常引起一種空想，覺得如在江村小屋裡，靠玻璃窗，烘著白炭火缽，喝清茶，同友人談閒話，那是頗愉快的事。不過這些空想當然沒有實現的希望，再看天色，也就愈覺得陰沉。想要做點正經的工作，心思散漫，好像是出了氣的燒酒，一點味道都沒有，只好隨便寫一兩行，並無別的意思，聊以對付這雨天的氣悶光陰罷了。」所以《雨天的書》裡占相當大的比重的是飲茶吃酒之類的生活小事，迂徐平淡，從容不迫，含一縷縷悠長雋永的韻味。

■ 一段傑出的篇章

喝茶當於瓦屋紙窗之下，清泉綠茶，用素雅的陶瓷茶具，同二三人共飲，得半日之閒，可抵十年的塵夢。喝茶之後，再去繼續修各人的勝業，無論為名為利，都無不可，但偶然的片刻優遊乃正亦斷不可少，中國喝茶時多吃瓜子，我覺得不很適宜，喝茶時可吃的東西應當是輕淡的「茶食」。中國的茶食卻變了「滿漢餑餑」，其性質與「阿阿兜」相差無幾，不是喝茶時所吃的東西了。日本的點心雖是豆米的成品，但那優雅的形色，樸素的味道，很合於茶食的資格，如各色的「羊羹」（據上田恭輔氏考據，說是出於中國唐時的羊肝餅），尤有特殊的風味。江南茶館中有一種「乾絲」，用豆腐乾切成細絲，加薑絲醬油，重湯燉熱，上澆麻油，出以供客，其利益為「堂倌」所獨有。豆腐乾中本有一種「茶乾」，今變而為絲，亦頗與茶相宜。在南京時常食此品，據雲有某寺方丈所制為最，雖也曾嘗試，卻已忘記，所記得者乃只是下關的江天閣而已。學生們的習慣，平常「乾絲」既出，大抵不即食，等到麻油再加，開水重換之後，始行舉箸，最為合式，因為一到即罄，次碗繼至，不遑應酬，否則麻油三澆，旋即撤去，怒形於色，未免使客不歡而散，茶意都消了。

—— 《雨天的書・喝茶》

■ 一分鐘感悟

1. 我們於日用必需的東西以外，必須還有一點無用的遊戲與享樂，生活才覺得有意思。我們看夕陽，看秋河，看花，聽雨，聞香，喝不求解渴的酒，吃不求飽的點心，都是生活上必要的——雖然是無用的裝點，而且愈精練愈好。

2. 大約我們還只好在這內容許的時光中，就這平凡的境地中，尋得些許的安閒悅樂，即是無上幸福；至於「死後，如何？」的問題，乃是神秘派詩人的領域，我們平凡人對於成仙做鬼都不關心，於此自然就命運什麼興趣了。

■ 一個人的歷史

周作人（西元1885年-西元1967年），原名櫆壽，字星杓，後改名奎緩，自號起孟、啟明（又作豈明）、知堂等，筆名仲密、藥堂、周遐壽等，浙江紹興人，魯迅的二弟，現代散文家、詩人，文學翻譯家。

周作人一九〇一年入南京江南水師學堂，一九〇六年東渡日本留學，一九一一年回國後在紹興任中學英文教員，一九一七年任北京大學文科教授。「五四」時期任新潮社主任編輯，參加《新青年》的編輯工作，參與發起成立文學研究會，發表了〈人的文學〉、〈平民文學〉、〈思想革命〉等重要理論文章，並從事散文、新詩創作和譯介外國文學作品。他的理論主張和創作實踐在社會上產生了很大影響，成為新文化運動的重要代表人物之一。

「五四」以後，周作人作為《語絲》周刊的主編和主要撰稿人之一，寫了大量散文，風格平和沖淡，清雋幽雅。在他的影響下，二〇年代形成了包括俞平伯、廢名等作家在內的散文創作流派，一個被阿英稱作為「很有權威的流派」（《現代十六家小品·〈俞平伯小品〉序》）。第一次國內革命戰爭失敗後，思想漸離時代主流，主張「閉戶讀書」。三〇年代提倡閒適幽默的小品文，沉溺於「草木蟲魚」的狹小天地。

抗日戰爭爆發後，居留淪陷後的北平，出任南京國民政府委員、華北政務委員會常務委員兼教育總署督辦等偽職。一九四五年以叛國罪被判刑入獄，一九四九年出獄，後定居北京，在人民文學出版社從事日本、希臘文學作品的翻譯和寫作有關回憶魯迅的著述。主要著作有散文集《自己的園地》、《雨天的書》、《澤瀉集》、《談龍集》、《談虎集》、《永日集》、《看雲集》、《夜讀抄》、《苦茶隨筆》、《風雨談》、《瓜豆集》、《秉燭談》、《苦口甘口》、《過去的工作》、《知堂文集》，詩集《過去的生命》，小說集《孤兒記》，論文集《藝術與生活》，論著《歐洲文學史》，文學史料集《魯迅的故家》、《魯迅小說裡的人物》、《魯迅的青年時代》，回憶錄《知堂回想錄》，另有多種譯作。

▍一點賞析的建議

　　平淡自然是周作人散文的最顯著特點，這種風格特色可以說表現於他的各類文章中。別人寫來也許會劍拔弩張的題材，周作人去寫仍是他自己的面目。瞭解怎樣在各類文章中貫穿這一風格，有助於深刻理解周作人的散文藝術。

《志摩的詩》

（1923） 徐志摩

▋ 一句話點評

徐志摩的人生觀，真是一種單純的信仰——這裡面只有三個大字：一個是愛，一個是自由，一個是美。他夢想這一個理想的條件能夠會合在一個人生裡。他的一生歷史，只是他追求這個單純信仰實現的歷史。

——胡適

▋ 一口氣速讀

《志摩的詩》共收錄七十二首詩，包括〈雪花的快樂〉、〈她是睡著了〉、〈落葉小唱〉、〈嬰兒〉、〈沙揚娜拉十八首〉、〈我有一個戀愛〉、〈在那山道旁〉、〈夜半松風〉、〈殘詩〉、〈難得〉、〈月下雷鋒影片〉等。

對愛情的執著追求是其中最重要的主題。既有初戀的美好心情，又有期待愛情的焦灼；既有對愛的歡快憧憬，又有愛情破裂的痛苦。在這類吟唱人生風景線的詩作之中，〈雪花的快樂〉是代表作，它位於詩集的首篇，可以看出詩人對它的喜愛程度，它從內容到形式都充分體現了徐志摩詩作的風格和情趣。

對現實社會的不滿是這部詩集的另一個主題。其中〈毒藥〉被稱為「詛咒現實的名作」。由於詩人對當時社會的強烈不滿，因而還寫了許多寄情山水、嚮往清靜優美所在的詩作，如〈石虎胡同七號〉等。

▌ 一段傑出的篇章

最是那一低頭的溫柔，

像一朵水蓮花不勝涼風的嬌羞，

道一聲珍重，道一聲珍重，

那一聲珍重裡有蜜甜的憂愁——

沙揚娜拉！

《志摩的詩·沙揚娜拉十八首》

▌ 一分鐘感悟

1. 我的靈魂是黑暗的因為太陽已經滅絕了光彩；我的聲調是像墳堆裡的夜鵲，因為人間已經殺盡了一切的和諧；我的口音像是冤鬼責問他的仇人，因為一切的恩已經讓路給一切的。

2. 假如我是一朵雪花，翩翩的在半空裡瀟灑，我一定認清我的方向——飛揚，飛揚，飛揚，這地面上有我的方向。

▌ 一個人的歷史

徐志摩（西元1897年-西元1931年），名章垿，筆名南湖、雲中鶴等，浙江海寧人，現代詩人、散文家。

徐志摩一九一五年畢業於杭州一中，先後就讀於上海滬江大學、天津北洋大學和北京大學。一九一八年赴美國學習銀行學。一九二一年赴英國留學，入倫敦劍橋大學當特別生，研究政治經濟學。在劍橋兩年深受西方教育的薰陶及歐美浪漫主義和唯美派詩人的影響。一九二一年開始創作新詩。一九二二年返國後在報刊上發表大量詩文。一九二三年，參與發起成立新月社。加入文學研究會。一九二四年與胡適、陳西瀅等創辦《現代評論》周刊，任北京大學教授。印度大詩人泰戈爾訪華時任翻譯。一九二五年赴歐洲，遊歷蘇、德、意、法等國。一九二六年在北京主編《晨報》副刊《詩鐫》，與聞一多、朱湘等人開展新詩格律化運動，影響到新詩藝術的發展。同年移居上海，任光華大學、大夏大學和南京中央大學教授。一九二七年參加創辦新月書店。次年《新月》月刊創刊後任主編並出國遊歷英、美、日、印諸國。一九三〇年任中華文化基金委員會委員，被選為英國詩社社員。同年冬到北京大學與北京女子大學任教。一九三一年初，與陳夢家、方瑋德創辦《詩刊》季刊，被推選為筆會中國分會理事。同年十一月十九日，由南京乘飛機到北平，飛機因遇霧在濟南附近觸山，機墜身亡。

　　徐志摩著有詩集《志摩的詩》、《翡冷翠的一夜》、《猛虎集》、《雲遊》，散文集《落葉》、《巴黎的鱗爪》、《自剖》、《秋》，小說散文集《輪盤》，戲劇《卞昆岡》（與陸小曼合寫），日記《愛眉小箚》、《志摩日記》，譯著《曼殊斐爾小說集》等。他的作品已編為《徐志摩文集》出版。

▋ 一點賞析的建議

徐志摩的詩字句清新，韻律諧和，比喻新奇，想像豐富，意境優美，神思飄逸，富於變化，並追求藝術形式的整飭、華美，具有鮮明的藝術個性。

《志摩的詩》可以說是徐志摩詩歌的實驗室，裡面的內容豐富多彩，形式也多種多樣，比較來看，可以清楚地看出他在詩歌藝術方面探索的痕跡。

《死水》
（1928） 聞一多

■ 一句話點評

閒一多拍案而起，橫眉怒對國民黨的手槍，寧可倒下去，不願屈服……表現了我們民族的英雄氣概。

——毛澤東

■ 一口氣速讀

《死水》是聞一多的著名詩集，是聞一多一九二五年七月回國後兩年的詩作，共二十八首。一九二八年由新月書店出版後產生了相當大的影響，沈從文等人撰文給予了高度評價。聞一多本人也只肯定《死水》，而把前期的《紅燭》視為「過繼出去的一個兒子」——雖然聞詩不能丟開《紅燭》，但《死水》的確代表了聞一多新詩創作的更高成就。

《死水》中的詩篇，寫得或悲痛、或激憤、或豪邁，抒發了詩人對祖國命運的憂慮與關切，表達了詩人強烈的愛國熱情。讀者無論何時讀到這些作品，都會為之動情、顫慄。

▌一段傑出的篇章

死水

這是一溝絕望的死水，
清風吹不起半點漪淪。
不如多扔些破銅爛鐵，
爽性潑你的剩菜殘羹。

也許銅的要綠成翡翠，
鐵罐上鏽出幾瓣桃花；
再讓油膩織一層羅綺，
黴菌給他蒸出些雲霞。

讓死水酵成一溝綠酒，
漂滿了珍珠似的白沫；
小珠們笑聲變成大珠，
又被偷酒的花蚊咬破。

這是一溝絕望的死水，
這裡斷不是美的所在。
不如讓給醜惡來開墾，
看他造出個什麼世界。

——《死水》

▌ 一分鐘感悟

1. 玫瑰開不完，荷葉長成了傘；秋針這樣尖，湖水這樣綠，天這
   樣青，鳥聲像露珠樣圓。

2. 這燈光，這燈光漂白了四壁；這賢良的桌椅，朋友似的親密；
   這古書的紙香一陣陣的襲來；要好的茶杯貞女一般的潔白。

▌ 一個人的歷史

聞一多（西元1899年-西元1946年），原名聞家驊，又名多、亦
多、一多，字友三、友山，湖北浠水縣（今湖北省黃岡市浠水縣）
人，中國現代偉大的愛國主義者，詩人，學者，民主戰士，新月派代
表詩人。

聞一多一九一二年考入清華大學，一九一六年開始在《清華周
刊》上發表系列讀書筆記，總稱《二月盧漫記》。一九一九年五四運
動時積極參加學生運動，曾代表學校出席全國學聯會議。一九二〇年
四月，發表第一篇白話文〈旅客式的學生〉。一九二一年十一月與梁
實秋等人發起成立清華文學社，次年三月，寫成《律詩底研究》，開
始系統地研究新詩格律化理論。一九二二年七月赴美國芝加哥美術學
院學習。年底出版與梁秋實合著的《冬夜草兒評論》，代表了聞一多
早期對新詩的看法。一九二三年出版第一部詩集《紅燭》。一九二五
年五月回國後，歷任國立第四中山大學（1928年更名為中央大學）、
武漢大學（任文學院首任院長並設計校徽）、國立山東大學、清華大
學、西南聯合大學的教授，曾任北京藝術專科學校教務長、南京第四
中山大學外文系主任、武漢大學文學院長、山東大學文學院長。

一九二八年出版第二部詩集《死水》。此後致力於古典文學的研究。對《周易》、《詩經》、《莊子》、《楚辭》四大古籍的整理研究，後彙集成為《古典新義》。一九三七年抗戰開始，他在昆明西南聯大任教。一九四三年後，因目睹國民政府的腐敗，於是奮然而起，積極參加反對獨裁，爭取民主的鬥爭。一九四五年為中國民主同盟會委員兼雲南省負責人、昆明《民主周刊》社長。一九四六年七月十五日在悼念被國民黨特務暗殺的李公樸的大會上，發表了著名的《最後一次的演講》，當天下午在西倉坡宿舍門口即被國民黨昆明警備司令部下級軍官湯時亮和李文山槍殺。

▌一點賞析的建議

在閱讀的時候，要注意體會《死水》中的詩情，與詩歌中噴湧的詩人的愛國激情。

《剪拂集》
（1928） 林語堂

■ 一句話點評

林語堂講的是數十年前中國的情形，但他的話今天對我們每一個美國人都很受用。

——老布希

■ 一口氣速讀

《剪拂集》是林語堂的雜文集，收錄了林語堂一九二四年至一九二六年在《語絲》雜誌上發表的散文共二十七篇，序文一篇，多屬政論性、社會批判及思想批判性雜文。只有〈論英文讀音〉一篇是純知識性雜文，〈譯尼采走過去〉是翻譯作品。

林語堂寫作《剪拂集》的時期，受到了歐美文化的個性主義和自由主義影響，他嚮往資產階級自由政治，因此針砭軍閥及其幫兇現代評論派是其中的重要內容。著名的〈祝土匪〉一文即是針對現代評論派指責進步師生為「匪」而作，文中寫道：「我們情願揭竿作亂以土匪自居，也不作專制暴君的俳優；時代需要土匪，惟其有許多要說的話學者不敢說，惟其有許多良心上應維持的主張學者不敢維持，所以今日的言論界還得有土匪傻子來說話！」

探索國民性，提倡「精神復興」是林語堂《剪拂集》中雜文的另一個基本命題。他提出「精神復興」是最為迫切的工作，推崇法國大革命，企圖用上陞時期的資產階級的積極進取精神來克服民族的卑瑣、懶惰等劣根性，以達到救國的目的。

　　《剪拂集》還對民眾力量進行熱烈讚頌。對「三・一八」死難烈士表達深切哀婉的悼念，〈悼劉和珍楊德群女士〉寫於慘案發生後的第三天，文辭鬱憤情深，抒發了作者沉痛的心情。

■ 一段傑出的篇章

　　今日是星期日，稍得閒暇，很想拿起筆來，寫我這三天內心裡的沉痛，但不知從何說起。因為三天以來，每日總是昏頭昏腦的，表面上奔走辦公，少有靜默之暇，思索一下，但是暗地裡已覺得是經過我有生以來最哀慟的一種經驗；或者一部分是因為我覺得劉楊二女士之死，是在我們最痛恨之敵人手下，是代表我們死的，一部分是因為我暗中已感覺亡國之隱痛，女士為亡國遭難，自秋瑾以來，這回算是第一次，而一部分是因為自我到女師大教書及辦事以來，劉女士是我最熟識而最佩服嘉許的學生之一（楊女士雖比較不深知，也記得見過幾回面），合此種種理由使我覺得二女士之死不盡像單純的本校的損失，而像是個人的損失。

　　三月十八日即她死的早晨八時許，我還得了劉女士的電話，以學生自治會名義請我准停課一天，因為她說恐怕開會須十一時才能開成，此後又恐怕還有遊行，下午一時大家趕不回來。我知道愛國運動，女子師範大學的學生素來最熱烈參加的，並非一班思想茅塞之女

界所可比，又此回國民大會，純為對外，絕無危險，自應照準，還告訴她以後凡有請停課事件，請從早接洽，以便通知教員，不知道這就是同她說話的末一次了。到下午二時我因要開會到校，一聞靈耗即刻同許季茀先生到國務院，而進門開棺頭一個已是劉女士之屍身，計前後相距不過三數小時。閉目一想，聲影猶存，早晨她熱心國事的神情猶可湧現吾想像間，但是她已經棄我們而長逝了。

——《剪佛集》

▌一分鐘感悟

1. 學者只知道尊嚴，因為要尊嚴，所以有時骨頭不能不折斷，而不自知，且告人曰，我固無完膚也，嗚呼學者！嗚呼所謂學者！

2. 太平百姓越寂寞，越要追思往昔戰亂時代的槍聲。勇氣是沒有了，但是留戀還有半分。

▌一個人的歷史

林語堂（西元1895年-西元1976年），乳名和樂，名玉堂，後改為語堂，福建省龍溪人，文學家。林語堂美國哈佛大學比較文學碩士，德國萊比錫大學語言學博士，曾任北京大學英文系主任、廈門大學文學院院長、聯合國教科文組織美術與文學主任、國際筆會副會長等職。一九四〇年和一九五〇年兩度獲得諾貝爾文學獎的提名。

▌一點賞析的建議

讀《剪拂集》應先讀序文，從林語堂自己所說的「所以這書中的

種種論調，只是一些不合時宜的隔日黃花……，然而我也覺得隔日黃花時代越遠越有保存之必要」去體會往昔戰亂時代的槍聲和那個時代年輕人應有的熱切和勇氣。

《家》
（1931） 巴金

▌ 一句話點評

巴金是「大師」、「不朽作家」，是「本世紀偉大的見證人之一」。

——法國總統弗朗索瓦·密特朗

▌ 一口氣速讀

《家》以作者巴金青少年時期的親身經歷為基本素材，帶有自傳性質。巴金曾說：「要是沒有我的最初二十年的生活，我也寫不出這樣的作品。」但《家》又不單純是一部自傳，而是對中國當年典型的舊父權制家庭敗落史的現實主義的再現。

《家》的主題是通過覺慧與鳴鳳，覺新與錢梅芬、李瑞玨，覺民與琴三對青年愛情上的不同遭遇，以及他們所選擇的不同生活道路為主幹，揭露了封建家庭的敗落，和青年一代對光明和新的道路的追求和探索，其意義不只是單純地主張自由戀愛，而且號召青年反抗封建專制制度，投入社會革命洪流之中。

小說描述的是成都高家公館的大家族。一家之主的高老太爺，封建專制，頑固不化。長房長孫覺新，為人厚道，卻很軟弱，原與梅表姐相愛，後屈從於老太爺之命而與李瑞玨結婚。覺新的胞弟覺民、覺

慧積極參加愛國運動，從而和馮公館的馮樂山成了死對頭。覺慧愛上聰明伶俐的婢女鳴鳳，但馮樂山卻指名要娶鳴鳳為妾，鳴鳳堅決不從，投湖自盡。老太爺又為覺民聘定了馮樂山的侄孫女，但覺民與琴久已相愛，在覺慧的鼓勵下，覺民離家出走。老太爺的四子克安、五子克定，皆酒色之徒，在外胡鬧事發，以致闔家不寧。繼又發生家產之爭，老太爺在氣憤中去世，陳姨太以封建邪說為由，強迫瑞珏去鄉間分娩，致使瑞珏難產而死。至此，覺新才有所覺醒，而覺慧則毅然脫離家庭，投身革命。

▋ 一段傑出的篇章

鳴鳳從覺慧的房裡出來，她知道這一次真正是一點希望也沒有了。她並不怨他，她反而更加愛他。而且她相信這時候他依舊像從前那樣地愛她。她的嘴唇還熱，這是他剛才吻過的；她的手還熱，這是他剛才捏過的。這證明了他的愛，然而同時又說明她就要失掉他的愛到那個可怕的老頭子那裡去了。她永遠不能夠再看見他了。以後的長久的歲月只是無終局的苦刑。這無愛的人間還有什麼值得留戀？她終於下了決心了。

她不回自己的房間，卻一直往花園裡走去。她一路上摸索著，費了很大的力，才走到她的目的地——湖畔。湖水在黑暗中發光，水面上時時有魚的唼喋聲。她茫然地立在那裡，回想著許許多多的往事。他跟她的關係一幕一幕地在她的腦子裡重現。她漸漸地可以在黑暗中辨物了。一草一木，在她的眼前朦朧地顯露出來，變得非常可愛，而同時她清楚地知道她就要跟這一切分開了。世界是這樣靜。人們都睡了。然而他們都活著。所有的人都活著，只有她一個人就要死了。過

去十七年中她所能夠記憶的是打罵、流眼淚、服侍別人，此外便是她現在所要身殉的愛。在生活裡她享受的比別人少，而現在在這樣輕的年紀，她就要最先離開這個世界了。明天，所有的人都有明天，然而在她的前面卻橫著一片黑暗，那一片、一片接連著一直到無窮的黑暗，在那裡是沒有明天的。是的，她的生活裡是永遠沒有明天的。明天，小鳥在樹枝上唱歌，朝日的陽光染黃樹梢，在水面上散佈無數明珠的時候，她已經永遠閉上眼睛看不見這一切了。她想，這一切是多麼可愛，這個世界是多麼可愛。她從不曾傷害過一個人。她跟別的少女一樣，也有漂亮的面孔，有聰明的心，有血肉的身體。為什麼人們單單要蹂躪她，傷害她，不給她一瞥溫和的眼光，不給她一顆同情的心，甚至沒有人來為她發出一聲憐憫的歎息！她順從地接受了一切災禍，她毫無怨言。後來她終於得到了安慰，得到了純潔的、男性的愛，找到了她崇拜的英雄。她滿足了。但是他的愛也不能拯救她，反而給她添了一些痛苦的回憶。他的愛曾經允許過她許多美妙的幻夢，然而它現在卻把她丟進了黑暗的深淵。她愛生活，她愛一切，可是生活的門偏偏地關住了她，只給她留下那一條墮落的路。她想到這裡，那條路便明顯地在她的眼前伸展，她帶著恐怖地看了看自己的身子。雖然在黑暗裡她看不清楚，然而她知道她的身子是清白的。好像有什麼人要來把她的身子投到那條墮落的路上似的，她不禁痛惜地、愛憐地摩撫著它。這時候她下定決心了。她不再遲疑了。她注意地看那平靜的水面。她要把身子投在晶瑩清澈的湖水裡，那裡倒是一個很好的寄身的地方，她死了也落得一個清白的身子。她要跳進湖水裡去。

——《家》

1. 那張美麗的臉上總是帶著那樣的表情：順受的，毫不抱怨，毫不訴苦的。像大海一樣，它接受了一切，吞下了一切，可是它連一點吼聲也沒有。

2. 這時候，在她近來所寶貴的自由時間裡，她也取下了面具，打開了自己的內心，看自己的「靈魂的一隅」。

■ 一個人的歷史

巴金（西元1904年-西元2005年），原名李堯棠，字芾甘，四川成都人，現當代著名的文學家。

巴金出生在一個三世同堂的封建官僚地主大家庭。五四運動以後，巴金迅速接受《新青年》等宣揚的新思想，逐漸走上用文學之筆暴露大家庭的罪惡、謳歌新思想的道路。主要作品有《滅亡》、《愛情三部曲》（《霧》《雨》、《電》）、《激流三部曲》（《家》、《春》、《秋》）、《寒夜》、《憩園》、《隨想錄》等。

■ 一點賞析的建議

《家》最突出的藝術特色是塑造了一系列生動鮮明的人物形象。這些人物，包含著豐富的生活內容，滲透著作家的愛憎感情，寄託著作家的美學理想。覺新、覺慧、鳴鳳、高老太爺堪稱現代文學史上有口皆碑的藝術典型，其中，「覺新性格」已成為了失去自我、具有雙重性格的現代知識分子的代名詞。

在《家》中，「鳴鳳投湖」、「高老太爺之死」、「血光之災」等都是非常精彩的情節，堪稱本書的華采樂章，值得讀者去反覆閱讀。

《金粉世家》
（1932） 張恨水

■ 一句話點評

在近三十年來，運用「章回體」而能善為揚棄，使「章回體」延續了新生命的，應當首推張恨水先生。

——茅盾

■ 一口氣速讀

《金粉世家》以「家」為本位敘述故事，以北洋軍閥國務總理金銓七子金燕西與貧家女學生冷清秋的愛情故事為主線，以金家的日常生活為重心，揭示上流社會家庭生活的眾生相，同時也記錄了金家子弟敗壞、家庭由興到亡的歷史。雖表面上時序更迭，歷史從封建王朝轉向民國共和，但其文化根底並未因此而全然與現代文明接軌，內在的文化命脈和基因難以短期徹底改變。《金粉世家》就借助家庭這個舞臺來揭示社會，通過炙手可熱的民國國務總理的家庭命運來透視社會，揭示人生的冷暖。

二十世紀二〇年代初，國務總理金銓之家，可謂一代豪門金粉世家。然而，在這樣一個華麗家族的背後，浸透了多少喜怒哀樂，悲歡離合。

風流倜儻的七少爺金燕西，是一個多情的種子。他仰仗著擔任國務總理父親的權勢，整日遊手好閒，不務正業，廣交女友。一日，他與一群朋友去西山郊遊，與女學生冷清秋邂逅。從此一見鍾情，欲罷不能。

　　為了得到清秋的愛，他不惜重金買下了清秋家隔壁的房子，並主動與清秋的舅舅宋世卿交友，愛慕虛榮的舅舅為了攀上高枝，不斷安排機會給燕西。當燕西得知清秋喜歡作詩後，他馬上組織起一個詩社，聘來了一大群文人墨客幫自己寫詩作畫。每天清秋放學回家，就從隔壁傳來燕西朗朗的吟詩聲，句句情深意切，脈脈含情。日復一日，終於清秋改變了對他的看法，認定燕西是個才華橫溢的風流才子。

　　清秋的家境貧寒，她怕遭到燕西家族的反對，因此始終沒有公開他倆的關係。此事被出身顯貴的燕西原女友白秀珠得知，她不依不饒，鬧得金公館雞犬不寧，天翻地覆。

　　青年詩人歐陽于堅喜歡上了清秋，並對清秋百般關心和體貼，在詩文創作上給了她很大的啟迪，清秋發現燕西求愛的「傑作」原來均出於歐陽于堅之手，二人之間漸漸產生朦朧的好感。金府的花車終於將清秋迎娶到豪門大宅……清秋對豪門內的種種禮節一概不知，在婚禮上被金家幾位少奶奶恥笑。

　　金公館內，各房兒孫矛盾不斷，金銓、金太太心亂如麻，不得安寧。金銓國務總理的職務搖搖欲墜，幾個兒子又不爭氣，面對內憂外患的壓力，金銓一命嗚呼。頂樑柱倒了，金太太支撐不起這碩大的家

族。不久，幾個兒子紛紛鬧著分家。玉芬嫁禍於清秋，說她首先鬧著分家的，又傳出他與歐陽于堅有染，燕西不問青紅皂白也責怪她。清秋有口難辯，她知道，面對金家中的勢力，她是無力反抗的。

燕西與秀珠公開交往，他不顧全家各房及清秋的感受，夜不歸宿。燕西將分家的錢盡情揮霍，清秋稍一過問就與清秋吵鬧。清秋忍無可忍，欲回娘家，但又怕母親傷心，猶豫再三還是留下來了。

產期臨近，清秋順利產下一個男孩。但是，奉子成婚的謠言在金公館盛傳，清秋感到無地自容。熱心的八妹在秀珠家找回燕西，他應付著看了看清秋，偷偷從箱子裡拿錢，被清秋發現，清秋欲制止，燕西說出絕情的話，二人大吵之後，燕西揚長而去。從此，燕西再也沒有回家，他和秀珠鬼混並策劃去德國的事。

清秋在月子裡受了刺激，執意要搬回娘家。被金家百般阻攔，她只好把自己軟禁在常年沒有人住的空房子內，準備與世隔絕。正值金公館四分五裂之時，一場劫難在金公館發生，舉世聞名的金粉世家被大火吞沒了。大火撲滅後，金公館變成一片廢墟，清秋在大火中失蹤；三姨太挾鉅款逃跑。

冷太太跑到金公館要女兒。金太太無計可施，只好答應想盡一切辦法尋找清秋。清秋帶著孩子和滿腹的心酸與潤之一起去了南方，投入到新生活的洪流中。

此刻的燕西終於覺醒過來，發現失去了自己生命中的另一半，他四處尋找清秋的下落，但毫無結果，在意冷心灰之下遠渡重洋，永遠

地告別了這塊傷感的土地。

一代豪門家族——金粉世家就這樣解體了……。

■ 一段傑出的篇章

屋子裡兩個伺候的老媽子，已經沒有了事，就對燕西笑道：「七爺沒有事嗎？我們走了。」燕西點了點頭，兩個老媽子出去，順手將門給反帶上了。燕西便上前將門暗閂來閂上，因對清秋道：「坐在門邊下作什麼？」清秋微微一笑，伸起一隻拳頭，捶著頭道：「頭暈得厲害。從今天早上八點鐘起，鬧到現在，真夠累的了，讓我休息休息罷。」燕西道：「既然是要休息，不知道早一點睡嗎？」清秋且不理他這句話，回頭一看屋子裡，那掛著珠絡的電燈，正是個紅色玻璃罩子，配上一對罩住小電燈的假紅燭，紅色的光，和這滿屋的新傢俱相輝映，自然有一種迎人的喜氣。銅床上是綠羅的帳子，配了花毯子、大紅被，卻很奇怪，這時那顏色自然會給人一種快感，不覺得有什麼俗氣。看完了，接上又是一笑。燕西道：「你笑什麼？還不睡嗎？」清秋笑道：「今晚上我不睡。」燕西笑道：「過年守歲嗎？為什麼不睡？」清秋鼻子哼了一聲，笑道：「過年？過年沒有今晚上有價值吧？」燕西道：「這不結了！剛才人家說了，春宵一刻值千金。」清秋笑道：「這可是你先說詩，我今天要考考你，你給我做三首詩。」燕西道：「不作呢？」清秋道：「不作嗎？我也罰你熬上一宿。」燕西道：「你別考，我承認不如你就是了。」

——《金粉世家》

■ 一分鐘感悟

1. 山上是很幽靜的，人的心思一定，遠處的香味，只要還有一絲在空氣裡流動著，也可以聞到，這就叫心清聞妙香了。

2. 快樂不光是吃喝嫖賭穿，最大的快樂，是人精神上可以得著一種安慰。

■ 一個人的歷史

張恨水（西元1895年-西元1967年），原名張心遠，筆名愁花恨水生、恨水，祖籍安徽潛山，生於江西廣信，現代作家。

張恨水從小喜讀中外文學作品。少年時代主要在江西讀私塾。十六歲回潛山自學。後考入蒙藏墾殖學校，因學校解散而返鄉。一九一八年任蕪湖《皖江日報》編輯，開始寫作生涯。一九一九年發表第一篇小說〈南國相思譜〉。同年赴北京，任《益報》校對、上海《申報》駐京辦事處編輯、北京世界通訊社編輯。一九二四年主編《世界晚報》副刊《夜光》，此後創作了大量社會言情小說。一九三五年舉家遷至上海，編輯《立報》副刊《花果山》。次年往南京與張友鸞創辦《南京人報》，編輯副刊《南華經》。抗日戰爭爆發後到重慶，任《新民報》主筆，並主編副刊，被推選為中華全國文藝界抗敵協會理事，寫了許多小說和詩文。一九四六年任北平《新民報》總經理，編輯副刊《北海》。一九四八年辭去《新民報》職務，結束了四十年的新聞生涯。一九四九年初發表他的回憶自己生活和創作的《寫作生涯口憶》。此後任文化部顧問、中央文史館館員、中國作家協會理事。所寫長篇小說〈秋江〉、〈孔雀東南飛〉、〈鳳求凰〉等發表於香港、上海等地的報刊上。

■ 一點賞析的建議

讀者在閱讀《金粉世家》時要注意把握張恨水是民國時期社會言情小說的集大成者和他的小說的俗雅融合的特點。

《子夜》
（1933） 茅盾

▌ 一句話點評

　　《子夜》是中國文藝界的大事件，是中國第一部寫實主義的成功的長篇小說。

──瞿秋白

▌ 一口氣速讀

　　《子夜》，原名《夕陽》，中國現代長篇小說。《子夜》的情節結構處理得非常成功，各條線索齊頭並進，中心突出，既相對獨立，又縱橫交織，使生活內容和眾多的人物、事件，有機地結合在一起，成為一個藝術整體。小說中的主人公吳蓀甫是現代文學史上為數不多的資產階級形象中出現得最早、塑造得最成功的一個。

　　《子夜》試圖概括中國三〇年代社會生活的完整面貌，即包括城鄉、工商、軍政、勞資、新儒林人物及大家庭主僕關係等各個社會層面的生活圖景。

　　一九三〇年的上海，吳蓀甫為把自己的絲廠經營下去，收買了幾家絲廠，聯絡了幾個民族工業家，成立了益中信託公司，並合夥趙伯韜做公債生意。然而，趙伯韜卻在背後操縱他的企業，又在公債市場

上牽制他。趙伯韜的經濟封鎖，加上國內軍閥混戰，工廠生產過剩，農村凋敝，這樣他的發展民族工業的宏圖終於在帝國主義、封建主義、官僚主義的壓迫下破產了。吳蓀甫為了擺脫困難，於是加緊了剝削工人階級，這就引起了工人階級的不滿。吳蓀甫不僅同工人階級存在著尖利的矛盾衝突，而且同農民也有著本質利益的隔閡。農民運動的高漲使得他失去了在家鄉建立「雙橋王國」的美夢，於是，他勾結國民黨政府保安隊鎮壓農民運動。但是，革命的烈火是撲不滅的。

■ 一段傑出的篇章

這裡正是南京路同河南路的交叉點，所謂「拋球場」。東西行的車輛此時正在那裡靜候指揮交通的紅綠燈的命令。

「二姊，我還沒見過三嫂子呢。我這一身鄉氣，會惹她笑痛了肚子罷。」

蕙芳輕聲說，偷眼看一下父親，又看看左右前後安坐在汽車裡的時髦女人。芙芳笑了一聲，拿出手帕來抹一下嘴唇。一股濃香直撲進吳老太爺的鼻子，癢癢地似乎怪難受。

由「真怪呢！四妹。我去年到鄉下去過，也沒看見像你這一身老式的衣裙。」

「可不是。鄉下女人的裝束也是時髦得很呢，但是父親不許我——」

像一枝尖針刺入吳老太爺迷惘的神經，他心跳了。他的眼光本能的瞥到二小姐芙芳的身上。他第一次有意識地看清楚了二小姐的裝束；雖則尚在五月，卻因今天驟然悶熱，二小姐已經完全是夏裝；淡藍色的薄紗緊裹著她的壯健的身體，一對豐滿的乳房很顯明地突出

來，袖口縮在臂彎以上，露出雪白的牛只臂膊。一種說不出的厭惡，突然塞滿了吳老太爺的心胸，他趕快轉過臉去，不提防撲進他視野的，又是一位半裸體似的只穿著亮紗坎肩，連肌膚都看得分明的時裝少婦，高坐在一輛黃包車上，翹起了赤裸裸的一隻白腿，簡直好像沒有穿褲子。「萬惡淫為首」！這句話像鼓槌一般打得吳老太爺全身發抖。然而還不止此。吳老太爺眼珠一轉，又瞥見了他的寶貝阿萱卻正張大了嘴巴，出神地貪看那位半裸體的妖豔少婦呢！老太爺的心撲地一下狂跳，就像爆裂了似的再也不動，喉間是火辣辣地，好像塞進了一大把的辣椒。

——《子夜》

▌一分鐘感悟

1. 此時她覺到蓀甫的冷笑和什麼「要來的事」乃是別有所指，心頭便好像輕鬆了些，卻又自感慚愧，臉上不禁泛出紅暈，眼光裡有一種又羞怯又負罪的意味。

2. 他站在那裡的姿勢很大方，他挺直了胸脯；他的白淨而精神飽滿的臉上一點表情也不流露，只有他的一雙眼睛卻隱隱地閃著很自然而機警的光芒。

▌一個人的歷史

茅盾（西元1896年-1981年），原名沈德鴻，字雁冰，浙江桐鄉人，中國現代著名文學家。「茅盾」是他第一篇小說〈幻滅〉發表時的筆名。

茅盾一九一六年北大預科畢業後到商務印書館任職，一九二一年起主編《小說月報》，致力於文學批評、文學理論和外國文學的譯介工作，注重東歐被壓迫的弱小民族和俄羅斯的文學。茅盾的小說以壯闊的社會畫面和精細的社會剖析著稱。主要作品有：〈蝕〉、〈虹〉、〈子夜〉、〈腐蝕〉、〈霜葉紅似二月花〉等。《子夜》是他的代表作。

▋ 一點賞析的建議

《子夜》避開傳統小說單一的線性結構，代之以鉅集闊的敘事框架和萬象紛呈的社會圖卷。在《子夜》中，許多事態情節平行共時，多線紛呈。交易所裡公債的起落消長，是貫通始終的一條主線，此外還有知識分子和女性群體的線索，工人運動和農民運動的線索。儘管對農運的描繪在全書中有些游離，但這些不同的敘述脈絡，無疑使整體佈局張弛有致、錯落有序。

《子夜》把個人、群體和民族的危難連在一起，把藝術審美和歷史理性的思索並置一處，從而開創了現代文學發展的里程碑。敘述語言簡單明快、細膩形象，烘託了情節氣氛，使人物活靈活現、栩栩如生。

《望舒草》
（1933） 戴望舒

▌ 一句話點評

望舒起初寫的詩是用韻的，到寫《我的記憶》時，改用口語寫，也不押韻。這是他給詩壇帶來的新的突破，這是他在新詩發展上立下的功勞。

——艾青

▌ 一口氣速讀

《望舒草》共收集戴望舒的詩作四十一首，主要內容包括：〈夕陽下〉、〈寒風中聞雀聲〉、〈自家傷感〉、〈生涯〉、〈流浪人的夜歌〉、〈雨巷〉等。書末附〈詩論零箚〉十七條。〈詩論零箚〉是施蟄存從戴望舒的手冊裡抄下的一些片斷，曾發表在《現代》二卷一期「創作增大號」上。

《望舒草》裡的詩，有詩人對飄忽不定的愛情的追求、渴望、思索以及難以捉摸的恐懼；有詩人基於個人生存體驗對整個「人」的生存的迷惘、孤寂境遇的情感抒發和哲理性思索。因而，愛情中的女主人公的形象系列和略微有些病態的孤獨者的形象系列，構成了《望舒草》的大致內容。

《望舒草》中西交融的象徵藝術是通過戴望舒對「淳樸與微妙」的詩歌特質的極力追求而形成的。戴望舒以《望舒草》開創了現代漢語詩歌獨特的「憂鬱」風格。

▌一段傑出的篇章

我/用殘損的手掌

摸索/這廣大的土地：

這一角/已變成灰燼，

那一角/只是血和泥；

這一片湖/該是我的家鄉，

（春天，堤上/繁花如錦幛，

嫩柳枝折斷/有奇異的芬芳）

我觸到/荇藻和水的微涼；

這長白山的雪峰/冷到徹骨，

這黃河的水夾泥沙/在指間滑出；

江南的水田，你當年/新生的禾草

是那麼細，那麼軟……現在/只有蓬蒿；

嶺南的荔枝花/寂寞地憔悴，

盡那邊，我蘸著南海/沒有漁船的苦水……

無形的手掌/掠過無限的江山，

手指/沾了血和灰，手掌/沾了陰暗，

只有那遼遠的一角/依然完整，

溫暖，明朗，堅固/而蓬勃生春。

在那上面，我/用殘損的手掌/輕撫，

像/戀人的柔髮，嬰孩手中乳。

我把全部的力量/運在手掌

貼在上面，寄與/愛和一切希望，

因為只有那裡/是太陽，是春，

將/驅逐陰暗，帶來蘇生，

因為只有那裡/我們不像牲口一樣活，

螻蟻一樣死……那裡，永恆的/中國！

——《望舒草·我用殘損的手掌》

▌ 一分鐘感悟

1. 我的記憶的忠實於我的，忠實得甚於我最好的友人。

2. 說是寂寞的秋，說是遼遠的海的懷念，假如有人問我煩憂的緣
   故，我不敢說出你的名字。

▌ 一個人的歷史

戴望舒（西元1905年-西元1950年），筆名有戴夢鷗、江恩、艾昂
甫等，又稱「雨巷詩人」，浙江杭州人，中國現代著名的詩人。

戴望舒一九二三年考入上海大學文學系。一九二五年，轉入復旦
大學法文班。一九二六年同施蟄存、杜衡創辦《瓔珞》旬刊，在創刊
號上發表處女詩作〈凝淚出門〉和翻譯魏爾倫的詩。一九二八年與施
蟄存、杜衡、馮雪蜂一起創辦《文學工廠》。一九二九年四月，第一
本詩集《我的記憶》出版，其中〈雨巷〉成為傳誦一時的名作。
一九三二年參加施蟄存主編的《現代》雜誌的編輯工作。十一月初赴

法留學，入里昂中法大學。一九三五年春回國。一九三六年十月，與卞之琳、孫大雨、梁宗岱、馮至等創辦《新詩》月刊。抗戰爆發後，在香港主編《大公報》文藝副刊，發起出版《耕耘》雜誌。一九三八年春在香港主編《星島日報星島》副刊。一九三九年和艾青主編《頂點》。一九四一年底被捕入獄，在獄中寫下了〈獄中題壁〉、〈我用殘損的手掌〉、〈心願〉、〈等待〉等詩篇。一九四九年六月，在北平出席了中華文學藝術工作代表大會。建國後，在新聞總署從事編譯工作，不久病逝。

▌ 一點賞析的建議

在閱讀《望舒草》時要注意把握戴望舒的詩歌舒卷自如，親切、敏銳、精確。

《雷雨》
（1933） 曹禺

■ 一句話點評

《雷雨》是一部不但可以演，也可以讀的作品。

——巴金

■ 一口氣速讀

一九三三年大學即將畢業前夕，曹禺創作了四幕話劇《雷雨》，它不僅是曹禺的處女作，也是他的成名作和代表作。

《雷雨》在一天時間（從上午到半夜）、兩個場景（周家和魯家）裡，集中展開了周、魯兩家前後三十年錯綜複雜的矛盾衝突，顯示了作品嚴謹而精湛的戲劇結構技巧。該劇反覆寫蟬鳴、蛙噪，寫雷雨到來前後的悶熱，其用意不僅是渲染苦夏的「鬱熱」氛圍，而且還在於暗示人物的情緒、心理、性格。

二十世紀二〇年代初，天津大礦業主周樸園年輕貌美的續弦夫人繁漪，長期被禁錮在豪華的巨宅中，過著枯寂的生活。大少爺周萍是周樸園前妻所生。周萍同情、愛慕繁漪，兩人產生戀情，周萍懾於父親的威嚴，恥於這種亂倫關係，對繁漪逐漸疏遠，並移情於侍女四鳳。繁漪不甘忍受周家兩代人的欺凌，決心報復，她解雇四鳳並讓其

母魯媽接走。在外省幫傭的魯媽，得悉女兒被周家雇用繼而又遭解雇，心急如焚地趕到周家，在客廳與周樸園不期而遇。交談之中，周樸園得知魯媽竟是三十年前遭自己拋棄而自殺的梅侍萍，不禁愕然，惶恐不安。他給魯媽一張支票以贖前愆。魯媽將支票就著燭火點燃後，拖著四鳳回家。她要四鳳發誓「再也不見周家人，否則就遭雷電劈死」。當夜，周萍翻窗潛入四鳳房內，被魯媽發現。四鳳跪著稟告母親，自己已懷身孕。魯媽頓覺天旋地轉，最後她同意周萍帶四鳳遠走高飛，永不回來。四鳳尾隨著周萍到周家，正欲出走，為繁漪所阻。繁漪喚出周樸園和二少爺周沖等人，當面揭露周萍與四鳳的關係，並指著匆匆趕來的魯媽和魯大海，叫周萍認母、認弟。周樸園無奈，當場承認魯媽確是周萍的生母。此時，周萍、四鳳方知他們竟是兄妹。四鳳哭著衝出客廳，室外雷雨如注，花園裡四鳳和趕來救援的周沖相繼觸電身亡。屋裡傳來一聲槍響，周萍倒在血泊之中。

■ 一段傑出的篇章

周樸園：（徐徐立起）哦，你，你，你是──

魯侍萍：我是從前伺候過老爺的下人。

周樸園：哦，侍萍！（低聲）怎麼，是你？

魯侍萍：你自然想不到，侍萍的相貌有一天也會老得連你都不認識了。

周樸園：你──侍萍？（不覺地望望櫃上的相片，又望魯媽）

魯侍萍：樸園，你找侍萍麼？侍萍在這兒。

周樸園：（忽然嚴厲地）你來幹什麼？

……

周樸園：你靜一靜。把腦子放清醒點。你不要以為我的心是死了，你以為一個人做了一件於心不忍的事就會忘了麼？你看這些傢俱都是你從前頂喜歡的東西，多少年我總是留著，為著紀念你。

魯侍萍：（低頭）哦。

周樸園：你的生日──四月十八──每年我總記得。一切都照著你是正式嫁過周家的人看，甚至於你因為生萍兒，受了病，總要關窗戶，這些習慣我都保留著，為的是不忘你，彌補我的罪過。

魯侍萍：（歎一口氣）現在我們都是上了年紀的人，這些傻話請你也不必說了。

周樸園：那更好了。那麼我們可以明明白白地談一談。

──《雷雨》

▌一分鐘感悟

1. 她一望就知道是個果敢陰騖的女人，她的臉色蒼白，只有嘴唇微紅，她的大而灰暗的眼睛同高鼻樑令人覺得有些可怕。

2. 他是經過了雕琢的，雖然性格上那些粗澀的渣滓經過了教育的提煉，成為精細而優美了；但是一種可以煉鋼熔鐵的，不成形的原始人生活中所有的那種「蠻」力，也就是因為鬱悶，長久離開了空氣的原因，成為懷疑的，怯弱的，莫明其妙的了。

▌一個人的歷史

曹禺（西元1910年-西元1996年），原名萬家寶，原籍湖北潛江市，現代著名劇作家。

曹禺出生在天津一個沒落官僚家庭。少年時代就喜歡傳統戲劇，在南開中學讀書時曾親自參加舞臺演出，獲得了一些寶貴的舞臺實踐經驗。考入清華大學西洋文學系後，他又大量地閱讀了莎士比亞、易卜生、契訶夫、奧尼爾等西方戲劇大師的作品。中西方戲劇藝術的融合造就了中國現代話劇史上第一位大師級的劇作家，他所創作的《雷雨》、《日出》、《北京人》、《原野》等經典劇作，使中國現代話劇劇場藝術得以確立，並使中國現代話劇由此走向成熟。

■ 一點賞析的建議

　　《雷雨》是曹禺的第一部劇作，也是中國現代話劇成熟的標誌。寫作這個劇本時，曹禺年僅二十二歲。一九三六年五月，《雷雨》在上海公演，全場轟動，連演三個月，場場客滿。後來它還被改編成評劇、楚劇、芭蕾舞劇等，兩次被搬上銀幕，二十世紀九〇年代，《雷雨》被改編成電視劇。《雷雨》的劇本還被譯成多種文字，成為世界舞臺上的經典。

　　在閱讀《雷雨》的時候，要注意戲劇衝突是如何展開的，以及在這個過程中人物性格的戲劇化展現。

《邊城》
（1934） 沈從文

▌ 一句話點評

《邊城》的語言是沈從文盛年的語言，最好的語言。既不似初期那樣的放筆橫掃，不加節制；也不似後期那樣過事雕琢，流於晦澀。這時期的語言，每一句都「鼓立」飽滿，充滿水分，酸甜合度，像一籃新摘的煙臺瑪瑙櫻桃。」

——汪曾祺

▌ 一口氣速讀

《邊城》是沈從文小說的代表作，是中國文學史上一部優秀的抒發鄉土情懷的中篇小說。它以二十世紀三〇年代川湘交界的邊城小鎮茶峒為背景，描繪了湘西地區特有的風土人情。借船家少女翠翠的愛情悲劇，凸顯出了人性的善良美好與心靈的澄澈純淨。它以獨特的藝術魅力，生動的鄉土風情吸引了眾多海內外的讀者，也奠定了《邊城》在中國現代文學史上的特殊地位。

在川湘交界的茶峒附近，住著一戶人家，只有爺爺老船夫和孫女翠翠兩個人。這一老一小便在渡船上悠然度日。茶峒城裡有個船總叫順順，他是個灑脫大方，喜歡交朋結友，且慷慨助人的人。他有兩個

兒子，老大叫天保，豪放豁達，不拘俗套小節。老二叫儺送，不愛說話，秀拔出群。

端午節翠翠去看龍舟賽，偶然相遇相貌英俊的青年水手儺送，儺送在翠翠的心裡留下了深刻的印象。可巧的是，儺送的兄長天保也喜歡上了翠翠，並先儺送一步託媒人提了親。兄弟兩人都決定把話挑明了，於是老大就把心事全告訴了弟弟，說這愛是兩年前就已經植下根苗的。弟弟微笑著把話聽下去，且告訴哥哥，他愛翠翠是三年前的事，做哥哥的也著實吃了一驚。

然而此時，當地的團總以新磨坊為陪嫁，想把女兒許配給儺送。而儺送寧肯繼承一條破船也要與翠翠成婚。爺爺自然是知道孫女的心事，讓她自己做主。兄弟倆沒有按照當地風俗以決鬥論勝負，而是採用公平而浪漫的唱山歌的方式表達感情，讓翠翠自己從中選擇。儺送是唱歌好手，天保自知唱不過弟弟，心灰意冷，斷然駕船遠行做生意。

碧溪邊只聽過一夜弟弟儺送的歌聲，後來，歌卻再沒有響起來。老船夫忍不住去問，本以為是老大唱的，卻得知唱歌人是老二儺送，老大講出實情後便去做生意。幾天後老船夫聽說老大坐水船出了事，淹死了……碼頭的船總順順忘不了兒子死的原因，所以對老船夫變得冷淡。老船夫操心著孫女的心事，後終於耐不住去問，儺送卻因天保的死十分責怪自己，很內疚，便自己下桃源去了。

船總順順也不願意翠翠再做儺送的媳婦，畢竟天保是因她而死。老船夫只好鬱悶地回到家，翠翠問他，他也沒說起什麼。夜裡下了大

雨，夾雜著嚇人的雷聲。爺爺說，翠翠莫怕，翠翠說不怕。兩人便默默地躺在床上聽那雨聲雷聲。第二天翠翠起來發現船已被沖走，屋後的白塔也沖塌了，翠翠嚇得去找爺爺，卻發現老人已在雷聲將息時死去了……老軍人楊馬兵熱心地前來陪伴翠翠，也以渡船為生，等待著儺送的歸來。儺送也許永遠不會回來了，也許「明天」就會回來。

▌ 一段傑出的篇章

翠翠在風日里長養著，把皮膚變得黑黑的，觸目為青山綠水，一對眸子清明如水晶。自然既長養她且教育她，為人天真活潑，處處儼然如一隻小獸物。人又那麼乖，和山頭黃麂一樣，從不想到殘忍事情，從不發愁，從不動氣。平時在渡船上遇陌生人對她有所注意時，便把光光的眼睛瞅著那陌生人，作成隨時都可舉步逃入深山的神氣，但明白了面前的人無機心後，就又從從容容的在水邊玩耍了。

老船夫不論晴雨，必守在船頭，有人過渡時，便略彎著腰，兩手緣引了竹纜，把船橫渡過小溪。有時疲倦了，躺在臨溪大石上睡著了，人在隔岸招手喊過渡，翠翠不讓祖父起身，就跳下船去，很敏捷的替祖父把路人渡過溪，一切溜刷在行，從不誤事。有時又和祖父、黃狗一同在船上，過渡時與祖父一同動手牽纜索。船將近岸邊，祖父正向客人招呼「慢點，慢點」時，那隻黃狗便口銜繩子，最先一躍而上，且儼然懂得如何方稱盡職似的，把船繩緊銜著拖船攏岸。茶峒附近村子裡的人不僅認識弄渡船的祖孫二人，也對於這隻狗充滿好感。

——《邊城》

■ 一分鐘感悟

1. 雨後放晴的天氣，日頭炙到人肩上背上已有了點力量。溪邊蘆葦水楊柳，菜園中菜蔬。莫不繁榮滋貌，帶著一分有野性的生氣。草叢裡綠色的螞蚱各處飛著，翅膀搏動空氣時皆習習作聲。

2. 兩岸多高山，山中多可以造紙的細竹，長年作深翠的顏色，逼人眼目。

■ 一個人的歷史

　　沈從文（西元1902年-西元1988年），原名沈岳煥，字崇文，筆名休芸芸、甲辰、上官碧、璇若等，湖南鳳凰縣人。沈從文是現代著名作家、歷史文物研究家、京派小說代表人物。

　　沈從文十四歲時，投身行伍，受「五四」新文化運動影響，一九二二年到北京，求學未成，開始以寫作維持生活。一九二四年開始發表作品。二十世紀三〇年代成為中國現代文壇上影響頗大的京派小說家，並在多所大學任教。新中國成立後在中國歷史博物館、故宮博物館從事工藝美術和物質文藝史的研究，不再從事文學創作。沈從文的創作豐富，作品有八十多部。主要作品集有：《月下小景》、《八駿圖》、《邊城》、《長河》、《從文自傳》、《湘行散記》等。《邊城》是沈從文的代表作品。

■ 一點賞析的建議

　　《邊城》是一部懷舊的作品，一種帶著痛惜情緒的懷舊，作者創

作時「心裡懷著不可說的溫愛」，在一首清澈、美麗但又有些哀婉的田園牧歌中，表現出一種優美、自然而又不違悖人性的人生形式，為人類的愛做了恰如其分的說明。

　　閱讀《邊城》，首先震撼讀者的是沈從文的不經意的、淡如行雲流水的語言，他那詩意的筆觸點染下的邊城宛如悠然自得的桃源。小說以兼具抒情詩和小品文的優美筆觸，表現自然、民風和人性的美，描繪了水邊船上所見到的風物、人情，是一幅詩情濃鬱的湘西風情畫，充滿牧歌情調和地方色彩，形成別具一格的抒情鄉土小說。

〈死水微瀾〉
（1935） 李頡人

■ 一句話點評

　　史詩性小說〈死水微瀾〉通過成都城郊天回鎮上演的悲喜劇折射出庚子年的八國聯軍事件，以中西兩種文化的劇烈碰撞、交融，揭示出中國走向現代化過程中遇到重要問題和走過的艱難曲折的道路。

——胡丹

■ 一口氣速讀

　　〈死水微瀾〉是中國現代文學史上知名的長篇歷史小說。小說通過對普通小老百姓生活的描寫，生動的展現出一八九四年到一九○一年，即甲午年中日第一次戰爭後到辛丑合約訂立這一段時間市井百姓的一連串故事。作者有意識地追求歷史與世情、上層的動盪與普通人的命運、社會矛盾與生活糾葛有機統一，力求多層次、大容量、全方位地反映歷史的本來面目，在有限的時空範圍內，為讀者展現出異常開闊的社會生活全景。

　　農家少女鄧麼姑來到天回鎮當上了雜貨鋪的老闆娘（蔡大嫂），丈夫蔡興順愚鈍，被人喊作「傻人」。羅德生彪悍豪俠，與鄧麼姑你來我往，暗生戀情。因爭風吃醋被羅德生趕出天回鎮的陸茂林密告羅

德生勾結義和團反洋人。四川總督派兵砸封興順號，蔡傻子鋃鐺入獄，羅德生逃得無影無蹤。顧天成懷著復仇心理來到鄉壩打探羅德生行蹤，不想被落難的蔡大嫂所吸引，提出要娶她為妻。為了救出獄中的丈夫，為了兒子的前程，為了情人不再遭追殺，她慨然應允。羅、顧二人爭奪蔡大嫂，最後顧勝羅敗。她的丈夫蔡傻子自然無法保證她安然地生活下去。因此，對於能有一個可以「保護」她的男人的渴求，也就在蔡大嫂的心中激起了「微瀾」。蔡大嫂同意了顧天成的要求，改嫁給顧天成，做了顧三奶奶。在艱難的生活中，蔡大嫂意識到只要有錢有勢，就哪個也不怕，就可以享盡榮華富貴。於是，她想盡一切，終於掌管了顧天成的全部財產。

▌一段傑出的篇章

「你因為羅五爺他們逃跑了，沒有把仇報成，才特地來看我，想在我口頭打聽一點他們的下落，是不是呢？」

他點點頭道：「先前是這麼想，自從看了你幾次後，就不了。」

「為啥子又不呢？」

他是第一次被女人窘著了。舉眼把她看了看，只見她透明的一雙眼睛射著自己，就像兩柄鋒快的刀。又看了看鄧大爺兩夫妻，也是很留心地看著他，時而又瞥一瞥他們的女兒，金娃子一雙小眼睛，也彷彿曉得什麼似的將他定定的看著。

她又毫不放鬆地追問下去。他窘極了，心想拼著鬧翻了，好一心一腸另打續弦的主意。便奔去，從鄧大娘手中，將金娃子一把抱了過來，在他那不很乾淨的肥而嫩的小臉上結實親了一下，才紅著臉低低地說道：「金娃兒，你莫慪氣呀！說拐了，只當放屁！你媽媽多好看！我渾了，我存心想當你的後爹爹……。」

鄧大爺兩夫婦不約而同地喊道：「那怎麼使得？我們的女婿還在呀。」

蔡大嫂猛地站起來，把手向他們一攔，臉上露出一種又驚、又疑、又欣喜、又焦急的樣子，尖著聲音叫道：「怎麼使不得？只要把話說好了，可以商量的！」

——〈死水微瀾〉

■ 一分鐘感悟

1. 回憶當年，真是無時無刻不在想它，好像戀人的相思。
2. 舊事創痕，最好是不要去剝它，要是剝著，依然會流血的。

■ 一個人的歷史

李劼人（西元1891年-西元1962年），現代著名作家，四川成都人。〈死水微瀾〉是李頡人三部連續性的歷史題材長篇小說中的第一部，寫成於一九三五年七月，另外兩部分別是〈暴風雨前〉和〈大波〉，這三部作品既相互獨立成篇，又具連續性，描寫了辛亥革命前的社會生活。作品以故鄉四川為背景，具有濃鬱的時代氣氛和地方色彩。〈死水微瀾〉既是李頡人的代表作，也堪稱中國現代小說史上不朽的名篇。

■ 一點賞析的建議

〈死水微瀾〉深廣的社會內容，主要通過作家著力塑造的羅歪嘴、顧天成、蔡大嫂這三個獨具風采的典型形象來揭示的。尤其夾在羅顧之間的蔡大嫂，更被塑造得活靈活現，頗具有個性光彩，是小說中最為閃亮的角色。

《魯迅全集》
（20世紀初-1936） 魯迅

▌ 一句話點評

在中國新文壇上，魯迅君常常是創造新形式的先鋒；《吶喊》裡的十多篇小說幾乎一篇有一篇的新形式，而這些新形式又莫不給青年作者以極大的影響，必然有多數人跟上去試驗。

——茅盾

▌ 一口氣速讀

魯迅的作品題材廣泛，形式多樣靈活，風格鮮明獨特，創作的作品體裁涉及小說、雜文、散文、詩歌等。有《魯迅全集》二十卷一千餘萬字傳世。以下介紹《魯迅全集》的幾個集子。

《吶喊》收入一九一八到一九二二年創作的小說十四篇。〈狂人日記〉主體部分用日記體第一人稱講述了一個「迫害狂」在患病期間的遭遇及心理。〈孔乙己〉寫的是魯鎮咸亨酒店裡發生的故事。〈故鄉〉是一篇散文體的小說，講「我」回到故鄉，但事過境遷，連那個淳樸得不染俗氣的閏土都會很木然地喚「我」「老爺」了，使「我」突然很悲哀地感到了隔膜，於是在迷茫中離開了故鄉。〈阿Q正傳〉裡的阿Q是一個在未莊打短工的，小說寫了他的「精神勝利法」。〈社

戲〉寫由於看中國戲的乏味而回憶起少年時在故鄉的烏篷船上看社戲的生動場景。

《徬徨》收入的是一九二四年到一九二五年所作小說十一篇。〈祝福〉寫祥林嫂的悲劇。〈肥皂〉以冷嘲熱諷的筆法揭下了衛道士四銘虛偽的面具。〈孤獨者〉寫了主人公魏連殳窮困窘頓的一生。〈傷逝〉的副標題是「涓生的手記」，以涓生回憶的形式，講了一個愛情婚姻的悲劇故事。

《故事新編》創作長達十四年，從一九二二年到一九三五年。《故事新編》共八篇，都是取材於古代的神話、傳說、故事演義敷衍而成。

《野草》是魯迅在一九二四年到一九二六年間創作的，連《題辭》共收二十三篇散文詩。

■ 一段傑出的篇章

阿Q彷彿文童落第似的覺得很冤屈，他慢慢走近園門去，忽而非常驚喜了，這分明是一畦老蘿蔔。他於是蹲下便拔，而門口突然伸出一個很圓的頭來，又即縮回去了，這分明是小尼姑。小尼姑之流是阿Q本來視若草芥的，但世事須「退一步想」，所以他便趕緊拔起四個蘿蔔，擰下青葉，兜在大襟裡。然而老尼姑已經出來了。

「阿彌陀佛，阿Q，你怎麼跳進園裡來偷蘿……阿呀，罪過呵，阿唷，阿彌陀佛！……」「我什麼時候跳進你的園裡來偷蘿蔔彝」阿Q且看且走著說。

「現在……這不是？」老尼姑指著他的衣兜。

「這是你的？你能叫得他答應你麼？你……」

阿Q沒有說完話，拔步便跑；追來的是一匹很肥大的黑狗。這本來在前門的，不知怎的到後園來了。黑狗哼而且追，已經要咬著阿Q的腿，幸而從衣兜裡落下一個蘿蔔來，那狗給一嚇，略略一停，阿Q已經爬上桑樹，跨到土牆，連人和蘿蔔都滾出牆外面了。只剩下黑狗還在對著桑樹嗥，老尼姑念著佛。

阿Q怕尼姑又放出黑狗來，拾起蘿蔔便走，沿路又撿了幾塊小石頭，但黑狗卻並不再現。阿Q於是拋了石塊，一面走一面吃，而且想道，這裡也沒有什麼東西尋，不如進城去……

待三個蘿蔔吃完時，他已經打定了進城的主意了。

——《吶喊·阿Q正傳》

■ 一分鐘感悟

1. 我在朦朧中，眼前展開一片海邊碧綠的沙地來，上面深藍的天空中掛著一輪金黃的圓月。我想：希望本是無所謂有，無所謂無的。這正如地上的路；其實地上本沒有路，走的人多了，也便成了路。

2. 孔乙己便漲紅了臉，額上的青筋條條綻出，爭辯道，「竊書不能算偷……竊書！……讀書人的事，能算偷麼？」

3. 阿Q在形式上打敗了，被人揪住黃辮子，在壁上碰了四五個響頭，閒人這才心滿意足的得勝的走了，阿Q站了一刻，心裡想，「我總算被兒子打了，現在的世界真不像樣……」於是也心滿意足的得勝的走了。

▋ 一個人的歷史

魯迅（西元1881年-西元1936年），原名周樹人，字豫才，原名周樟壽，一八九八年改為周樹人，字豫山、豫亭，以筆名魯迅聞名於世，浙江紹興人，中國現代文學的奠基人。

魯迅不但是偉大的文學家，而且是偉大的思想家和偉大的革命家。「魯迅」這個筆名是他在一九一八年發表第一篇白話小說〈狂人日記〉時才開始用的。一九〇二年留學日本，初學醫，後因決心改造國民的精神，棄醫從文，積極參加民主革命活動。先後在北京大學、北京女子師範大學、廈門大學等校任教。一九三〇年前後，參加了中國自由運動大同盟、左翼作家聯盟、中國民權保障同盟等進步團體。主要作品有中短篇小說集《吶喊》、《彷徨》、《故事新編》，散文詩集《野草》，散文集《朝花夕拾》，以及《熱風》、《墳》、《華蓋集》等十六篇雜文集和書信集《兩地書》，此外，還著有文學史著作《中國小說史略》、《漢文學史綱要》等。

▋ 一點賞析的建議

讀者在閱讀《魯迅全集》時，應注意把握魯迅的〈狂人日記〉是中國文學史上第一篇白話短篇小說，它以「表現的深切和格式的特別」，成為中國現代小說的偉大開端。散文詩集《野草》包含了魯迅的生命哲學。

《漢園集》
（1936） 何其芳、卞之琳、李廣田

■ 一句話點評

何其芳同志在藝術上不斷進行著新的追求和探索，在理論上也有自己的獨立建樹。

——周揚

■ 一口氣速讀

《漢園集》是一九三六年出版的三位青年詩人的合集，收入何其芳的《燕泥集》、李廣田的《行雲集》、卞之琳的《數行集》。

何其芳的詩多吟詠愛情和自然，格調寧靜而柔美。何其芳是一個早熟的、感情比較細膩豐富的人，總愛沉溺於自己用文字和幻想所營造的世界裡，這是一種天生的詩人氣質。他的前期詩作，帶有明顯的夢幻情調，如一個少女喃喃述說著夢中的風景，而他則是一個畫夢人，他的第一部散文集也便命名為「畫夢錄」。他描繪出來的夢都是感傷、寂寞、憂鬱而又美麗的。滿紙自憐，充滿了對故鄉、對青春、對愛情的眷戀以及求而不得的幽怨。

卞之琳的詩或展現舊北京城的生活情景，或抒寫人生的孤寂，風格凝練含蓄他們沿著戴望舒開闢的詩歌道路繼續摸索，形成了自己獨

特的風格，是更加注重將東、西方詩學融合的新一代詩人。卞之琳是徐志摩的學生，不過他的氣質與徐卻有著很大的差別：徐是熱烈的，他是冷靜的；徐是開放的，他是內斂的；徐是情感的，他是理智的。這使他與同集中的何其芳也形成了鮮明的對比，何其芳為愛情一唱三歎，而卞之琳，正如聞一多所評價和表揚的，在青年詩人中不寫情詩。他所感興趣的是一些人生的哲思和理趣，卻又不做抽象的分析說教，而是以情節化、意境化的方式暗示出來，讓讀者自己去尋找畫外之境，弦外之音。

李廣田的詩多表現生活中的靜態美和對人生的思考，風格樸實淳厚。李廣田的創作以散文為主，詩的影響不如何其芳和卞之琳，但作為二十世紀三〇年代一個較活躍的詩人，也有他獨特的面目，獨特的價值，不該被遺忘。如果說何其芳是柔美綺麗的，卞之琳是冷凝深邃的，那麼李廣田就是質樸清淡的。他對自己的故鄉和童年有著較為深切的感情，他的理想和追求也多寄託於此，帶著一種成人後的失落和失望，懷念著昔日的純潔與美好。

■ 一段傑出的篇章

一顆顆，一顆顆，又一顆顆，
我的青春像淚一樣流著；
但人家的淚為愛情流著，
這流著的青春是為什麼？
一朵朵，一朵朵，又一朵朵，
人的青春像花一樣謝落，

這謝落的青春卻未開過。

——何其芳《漢園集·青春怨》

你站在橋上看風景，
看風景的人在橋上看你。
明月裝飾了你的窗子，
你裝飾了別人的夢。

——卞之琳《漢園集·斷章》

■ 一分鐘感悟

1. 告訴我春風是怎樣吹開百花，燕子是怎樣癡戀著綠場。
2. 是雨呢還是淚，朦朧了紅顏/誰知道！但令人想起/古屋中磨損的鏡裡/認不真的愁容。
3. 靜夜的秋燈是溫暖的。在孤寂中，我卻是有一點寒冷。咫尺的燈，覺得是遙遠了。

■ 一個難忘的時代

　　何其芳、卞之琳、李廣田當時曾是北京大學文學院的同學，以文會友聚在一起，惺惺相惜，志同道合，經常在一起切磋詩藝。一九三四年，鄭振鐸編「文學研究會創作叢書」，要卞之琳的一本詩集，卞之琳便把何其芳、李廣田到當時為止的詩全部拿來湊成一本集子。他們一塊讀書的地方叫「漢花園」，有點老氣橫秋的味道，不過他們倒覺得喜歡，於是便叫了個《漢園集》。

　　何其芳（1912年-1977年），原名何永芳，四川萬縣（現重慶萬

州）人，中國著名詩人，散文家，文學評論家，「紅學」理論家。北京大學哲學系畢業，是「漢園三詩人」之一。著作主要有：散文集《畫夢錄》（成名作），詩集《預言》，紅樓夢的研究也頗有建樹。

卞之琳（1910年-2000年），曾用筆名季陵，祖籍江蘇溧水，詩人、文學評論家、翻譯家。抗戰期間在各地任教，為中國的文化教育事業做了很大貢獻。卞之琳對莎士比亞很有研究，是西語教授，並且在現代詩壇上做出了重要貢獻，被公認為新月派的代表詩人。著有詩集《三秋草》、《魚目集》、《數行集》、《慰勞信集》（1940年）、《十年詩草》、《雕蟲紀曆》（1930年-1958年）等。

李廣田（1906-1968年），號洗岑，筆名黎地、曦晨等，山東鄒平人，優秀的散文家。一九二九年考入北京大學外語系，次年開始發表詩文。雲南大學校長（1957年-1959年）。一九五九年在黨內反右傾鬥爭中，他被劃為「右傾機會主義分子」，一九六八年被迫害致死。著有《雀蓑集》、《圈外》、《回聲》、《日邊隨筆》等。

▌ 一點賞析的建議

初讀《漢園集》，可能會感到不大太易懂。何其芳的一席話也許對讀者有用，他說：「現在有些人非難著新詩的晦澀，不知道這種非難有沒有我的份兒。除了由於一些根本的混亂或不能駕馭文字的倉皇，我們難於索解的原因不在於我們自己不能追蹤作者的想像。有些作者常常省略去那些從意象到意象之間的連鎖，有如他越過了河流並不指點給我們一座橋，假若我們沒有心靈的翅膀，便無從追蹤。」

《上海屋簷下》
（1937） 夏衍

▌ 一句話點評

夏公是中國電影的根！

——孫家正

▌ 一口氣速讀

《上海屋簷下》創作於抗日戰爭前夕，通過一群生活在上海弄堂中的小人物的悲慘遭遇，和他們的喜怒哀樂，揭露了當時社會的黑暗，暗示出雷雨將至的前景，力圖使觀眾「聽到些將要到來的時代的腳步聲」。

《上海屋簷下》描寫了被捕入獄八年的匡復被釋放了。他到好友林誌成家來探詢自己妻子彩玉和女兒葆真的下落，卻得知妻子已與誌成同居，因為他們早就聽說匡復已死，於是三個人都陷入難以解脫的內心矛盾和痛苦之中。彩玉想和匡復追尋過去的幸福，但林誌成負疚欲走時，兩人八年患難與共之情，又突然迸發，難以分手。匡復理解、原諒了他們，在孩子們向上精神的啟發下，克服了自己一時的軟弱與傷感，留言出走。

全劇除了這條主要情節線而外，還有幾組人物：失業的大學生，

被迫出賣自己的女人，勉強糊口的小學教員，兒子戰死的老報販，這些人都擁擠在一個「屋簷下」，合奏著「小人物」的生活交響曲。

▎一段傑出的篇章

楊彩玉：那麼你說……我們之間……

匡復（絕望地）：我方才跟志成說，我後悔不該來看你們，我簡直是多此一舉啦。

楊彩玉：復生這是你的真心話嗎？以前，你是從來也不說謊話的！

（匡復無言。）

楊彩玉（含著怒意）：那麼，你太自私，你欺騙我！從你和我結婚的，那時候起。

匡復：什麼？（走近一步）

楊彩玉：問你自己！

匡復：彩玉！我沒有這意思，我只是說對於生活，我已經失掉了自信，我沒有把握，可以使你和葆珍比現在更……

楊彩玉：那麼我問你，很簡單，假定，這八年半裡面，你沒有志成這麼一個朋友，我跟他也沒有現在一樣的關係，那麼很自然，假定我跟葆珍現在已經淪落在街頭，也許，兩個裡面已經死了一個，假定，在那樣的情形之下，你找到了我，我要求你幫助，那時候，你也能跟方才一樣地說：「我已經沒有使你們幸福的自信，我只能讓你們餓死在街上嗎？」

匡復（一句話被問住了，混亂）：那……那……

楊彩玉：那麼我只能說，要不是你太殘酷，那就是你在嫉妒！

匡復（茫然自失）：彩玉！

楊彩玉：要是在別的情形之下，你一定會對我說，彩玉我回來啦。別怕，我們重新再來過，可是現在，——你，你已經厭棄我了！——為著我要生活……

匡復：彩玉，別這麼說，我，我應該怎麼辦呢？我簡直不能再想啦！（焦躁苦痛）

楊彩玉（央求地）：復生！你不能再離開我，不能再離開那被人看作沒有父親的葆珍，為著葆珍，為著我們唯一的……

匡復（沉吟了一下）：這，這不使志成……不使志成更苦痛嗎？

楊彩玉（沉默了一下）：可是，我早就跟你說，這只是為著生活……

匡復（垂頭、無力地）：彩玉！……

楊彩玉（捏著他的手）：打起勇氣來，……從前你跟我講的話，現在輪著我對你講啦。（笑，扶起他的頭）你還年輕⊠，（摸著他的下巴）好啦，把鬍子剃一剃！……（一邊說，一邊從抽斗裡找出林誌成的安全剃刀等等）復生！別多想啦，今天是應該快活的，對嗎？

匡復（充滿了蘊積著愛情，爆發般地）：彩玉！（將頭埋在她的胸口）

楊彩玉（撫著他的頭髮）：復生！你，你……（感極而泣，與匡復二人依偎著）

——《上海屋簷下》

■ 一分鐘感悟

1. 壯士一匹實價三十四元，就為了這麼一點錢，中國的浮屍多得是。

2. 命運遮住了我們的眼睛⋯⋯。

3. 幸福？幸福能建立在痛苦的心上嗎？

■ 一個人的歷史

　　夏衍（西元1900年-西元1995年），號端先，浙江杭州人，原名沈乃熙，字端先，漢族，祖籍河南開封，生於浙江省餘杭縣，是中國新文化運動的先驅者之一，中國著名文學、電影、戲劇作家，文藝評論家、文學藝術家、翻譯家、社會活動家。

　　二十世紀三〇年代夏衍化名黃子布進入電影界，先後創作《狂流》、《春蠶》（據茅盾小說改編）、《上海二十四小時》等進步電影劇本。一九三五年，中共江蘇上海黨組織被破壞，夏衍受到追捕，蟄居期間開始話劇創作，寫出獨幕劇《都會的一角》和大型歷史劇《賽金花》。這期間他寫作的報告文學《包身工》反響強烈，被譽為中國報告文學的典範作品。他影響較大的劇作有《上海屋簷下》、《法西斯細菌》、《芳草天涯》等。這些作品大多從日常生活中取材，投射出時代的光與影，藝術風格上質樸、凝練，素淡而雋永。

■ 一點賞析的建議

　　就藝術創作的角度看，《上海屋簷下》的情節凝煉而明快，交錯而不失序，「用淡墨畫出了這些人物的靈魂。細緻而不落痕跡，渾成而不嫌模糊，真正的感情深沉地隱藏在畫面的背後，不聞呼號而自有一種襲人的力量。」

　　讀者在閱讀的時候，要注意把握夏衍的戲劇從平凡人物的生活和

情感上反映出激蕩的時代特徵，《上海屋簷下》樸素、凝煉的藝術風
格與內在思想的深刻。

《屈原》
（1941） 郭沫若

■ 一句話點評

　　若講新詩，郭沫若君的詩才配稱新詩呢，不獨藝術上他的作品與舊詩詞相去最遠，最要緊的是他的精神完全是時代的精神——二十世紀的時代的精神。他不獨喊出人人心中的熱情來，而且喊出人人心中最神聖的一種熱情呢！

——聞一多

■ 一口氣速讀

　　話劇《屈原》取材於戰國時期楚國的歷史，寫偉大詩人、政治家屈原的政治挫折和個人遭際。郭沫若首次將其形象塑造於舞臺之上，在從清晨到午夜這段非常有限的舞臺時空裡，概括了這位詩人一生的悲劇。

　　《屈原》描寫了楚國三閭大夫屈原因主張對內主張革新政治，對外聯齊抗秦，曾得楚懷王信任。但南後卻勾結秦國密使張儀，以「淫亂宮廷」之罪加害屈原。懷王竟聽信讒言，將屈原囚禁，並廢棄齊楚盟約，依附強秦。屈原滿懷憂憤。此時，學生宋玉已賣身投降南後，忠誠追隨詩人的侍女嬋娟又將被南後處死。宮廷衛士救出嬋娟，並一

起去營救屈原，不料嬋娟誤飲欲害屈原的毒酒身死。衛士殺死謀害屈原的幫兇，焚燒高堂，並在屈原作《桔頌》以悼嬋娟後，跟隨詩人走向漢北，走向民間。

■ 一段傑出的篇章

什麼個大司命，什麼個少司命，你們的天大的本領就只有曉得捉弄人！什麼個湘君，什麼個湘夫人，你們的天大的本領也就只曉得痛哭幾聲！哭，哭有什麼用？眼淚，眼淚有什麼用？頂多讓你們哭出幾籠湘妃竹吧！但那湘妃竹不是主人們用來打奴隸的刑具麼？你們滾下船來，你們滾下雲頭來，我都要把你們燒毀！燒毀！燒毀！

哼，還有你這河伯……哦，你河伯！你，你是我最初的一個安慰者！我是看得很清楚的呀！當我被A們押著，押上了一個高坡，衛士們要息腳，我也就站立在高坡上，回頭望著龍門。我是看得很清楚，很清楚的呀！我看見嬋娟被人虐待，我看見你挺身而出，指天畫地有所爭論。結果，你是被人押進了龍門，嬋娟她也被人押進了龍門。

但是我，我沒有眼淚。宇宙，宇宙也沒有眼淚呀！眼淚有什麼用呵？我們只有雷霆，只有閃電，只有風暴，我們沒有拖泥帶水的雨！這是我的意志，宇宙的意志。鼓動吧，風！咆哮吧，雷！閃耀吧，電！把一切沉睡在黑暗懷裡的東西，毀滅，毀滅，毀滅呀！

——《屈原》

■ 一分鐘感悟

1. 願歲並謝，與長友兮。淑離不淫，梗其有理兮。年歲雖少，可師長兮。行比伯夷，置以為像兮。

2. 內容潔白，芬芳無可比擬。植根深固，不怕冰雪氛霏。

▌一個人的歷史

　　郭沫若（西元1892年-西元1978年），原名郭開貞，字鼎堂，號尚武。四川樂山人，現代詩人、劇作家、歷史學家、古文字學家。一九一四年年初到日本學醫，後棄醫從文，開始創作詩歌。一九二一年與成仿吾、郁達夫等發起創造社，積極從事新文學運動。參加過北伐戰爭和「八一」南昌起義，並加入了中國共產黨。一九二八年起客居日本，從事古史與古文字研究。抗日戰爭開始後歸國參加抗日。新中國成立後，一直擔任國家文化、教育、科學等方面的領導工作。代表作品有詩集《女神》、歷史劇《屈原》、考古專著《甲骨文字研究》等。

▌一點賞析的建議

　　《屈原》一劇中，穿插了大量的抒情詩和民歌。這些詩和歌不僅渲染了氛圍，突出了人物性格，強化了劇本主題，而其本身也已經融為整個劇本不可分割的有機組成部分。如，首尾呼應的《橘頌》，像是迴響在一部交響樂中的主旋律一般，突出強調了不屈不撓、為真理鬥爭到底的主題。再如屈原的長篇獨白——《雷電頌》，既是刻畫屈原典型性格最重要的一筆，又異常鮮明地突現了劇本的主題，將劇情推向了高潮。這些豐富精彩的詩歌，自然而和諧地穿插在劇本中，使劇本充溢著濃鬱的詩意，具有更加感人的力量。

《呼蘭河傳》
（1941） 蕭紅

▊ 一句話點評

《呼蘭河傳》是一篇敘事詩，一片多彩的風土畫，一串淒婉的歌謠。

——茅盾

▊ 一口氣速讀

《呼蘭河傳》是蕭紅以自己的家鄉與童年生活為原型創作的小說。講述了作者小時候的童年故事。作家以她嫻熟的回憶技巧、抒情詩的散文風格、渾重而又輕盈的文筆，造就了她「回憶式」的巔峰之作。

呼蘭河是一個並不繁華的小城，只有兩條大街，一條從南到北，一條從東到西，而最有名的算是十字街了，除了這些就都是些小胡同了。小城的人們過著日出而作，日落而息的生活。

呼蘭河這小城裡住著我的祖父。等我生下來了，第一給了祖父的無限歡喜，等我長大了，祖父非常地愛我。

我家的院子是荒涼的。那邊住著幾個漏粉的，那邊住著幾個養豬

的。養豬的那廂房裡還住著一個拉磨的。

我玩的時候除了在後花園，有祖父陪著。其餘就是我自己玩。有一天，我正在蒿草裡做著夢，聽見一陣喧鬧。後來才知道是老胡家來了個「團圓媳婦」。她是個小姑娘，才十二歲，她的頭髮又黑又長，梳著很大的辮子，竟快到膝間了，她的臉長得黑乎乎的，笑呵呵的。之後，她天天牽馬到井邊去飲水，我看見她好幾次，她看著我就笑了，我們成了好朋友。

人們看了團圓媳婦，沒有什麼不滿意的，只是說太大方了，見人也不羞，不像個團圓媳婦。所以，沒過幾天，那家就打起團圓媳婦來了，打得特別厲害。還沒到二月，那黑乎乎的、笑呵呵的小團圓媳婦就死了。

磨房裡住著一個叫馮歪嘴子的。他打著梆子，半夜半夜地打，一夜一夜地打。一到了秋天，新鮮黏米一下來，馮歪嘴子就三天一拉磨，兩天一拉年糕。冬天，他幾乎天天賣年糕。

我家同院住著的老王家有一個大姑娘。她有一雙怪好看的大眼睛，人們都說是個興家立業的好手。可是，王大姑娘偏偏愛上了馮歪嘴子，並且私定終身。小城裡的人們無法忍受了。於是，蜚短流長。人們窺視著馮歪嘴子一家的生活。由於在惡劣的環境下的生產，以及產後的營養不良，王大姑娘一天比一天瘦，臉一天比一天蒼白。終於在生了第二個孩子後死了。大家都覺得這回馮歪嘴子算完了。可是，他卻照常活在世界上，照常負他那份責任。

時光不知不覺地流逝，從前那後花園的主人，而今不見了。老主人死了，小主人逃荒去了。以上所寫的，沒有什麼優美的故事，只因他們充滿我幼年的記憶，忘卻不了，難以忘卻，就記在這裡了。

一段傑出的篇章

天空的雲，從西邊一直燒到東邊，紅堂堂的，好像是天著了火。

這地方的火燒雲變化極多，一會紅堂堂的了，一會金洞洞的了，一會半紫半黃的，一會半灰半百合色。葡萄灰、大黃梨、紫茄子，這些顏色天空上邊都有。還有些說也說不出來的，見也未曾見過的，諸多種的顏色。

五秒鐘之內，天空裡有一匹馬，馬頭向南，馬尾向西，那馬是跪著的，像是在等著有人騎到它的背上，它才站起來。再過一秒鐘，沒有什麼變化。再過兩三秒鐘，那匹馬加大了，馬腿也伸開了，馬脖子也長了，但是一條馬尾巴卻不見了。看的人，正在尋找馬尾巴的時候，那馬就變靡了。

忽然又來了一條大狗，這條狗十分兇猛，它在前邊跑著，它的後面似乎還跟了好幾條小狗仔。跑著跑著，小狗就不知跑到哪裡去了，大狗也不見了。

——《呼蘭河傳》

一分鐘感悟

1. 生、老、病、死，都沒有什麼表示，生了就任其自然地長大，長大就長大，長不大也就算了。老了，老了也沒什麼關係，眼花了就不看，耳聾了就不聽，牙掉了，就整吞，走不動了，就

躺著，這有什麼辦法，誰老誰活該。

2. 春夏秋冬，一年四季來回迴圈地走著，那是自古就這樣的了，風霜雨雪，受得住的就過去了，受不住的就尋求著自然的結果，那自然的結果不太好，把一個人默默地一聲不響地拉著離開了這人間的世界。至於那沒有被拉去的，就風霜雨雪，仍舊在人間被吹打著。

▌ 一個人的歷史

蕭紅（西元1911年-西元1942年），姓張，取名乃瑩，乳名榮華，曾經用過的筆名有悄吟、田娣、蕭紅等，生於黑龍江呼蘭縣內一個地主家庭。十六歲，考入哈爾濱東省第一女子中學。畢業後，父母逼迫她成親。蕭紅離家出走。隨人去了北平，後又返回哈爾濱。在哈爾濱，蕭紅被懦弱的未婚夫遺棄在一家小旅店。她沒有錢而被老闆扣留，不得離開旅店。她寫信給《國際協報》的副刊《國際公園》的主編求救。蕭軍和舒群幫她脫離了困境。從此，蕭軍與她開始了能風雨同舟但卻沒結果的愛情。

蕭紅的作品有小說《生死場》、《馬伯樂》、《呼蘭河傳》，小說集《牛車上》、《曠野的呼喊》，散文集《商市街》、《橋》，散文〈回憶魯迅先生〉，紀念魯迅的默劇《民族魂》。

▌ 一點賞析的建議

《呼蘭河傳》並不是人們習慣理解的嚴格意義的小說。它沒有貫穿全書的情節，故事和人物都是片斷的，瑣碎的。作者以果戈理式的

「含淚的微笑」的筆法，描寫那座寂寞的小城以及那裡活動著的人們，展示了一幕幕悲劇性的生活場景。《呼蘭河傳》具有獨特的藝術魅力，這種藝術能力來源於它的語言的自然美。《呼蘭河傳》運用口語化的語言，力求語言的樸素而不追求華麗。

〈金鎖記〉
（1943） 張愛玲

▍一句話點評

　　毫無疑問，〈金鎖記〉是張女士截至目前為止的最完滿之作，頗有《獵人日記》中某些故事的風味，至少也該列為我們文壇最美的收穫之一。

——傅雷

▍一口氣速讀

　　〈金鎖記〉寫於一九四三年，張愛玲在本書中深刻的表現了現代社會兩性心理的基本意蘊。在她創作的那個年代並無任何前衛的思想，然而卻令人震驚地拉開了兩性世界溫情脈脈的面紗。主人公曾被作者稱為她小說世界中惟一的「英雄」，她擁有著「一個瘋子的審慎和機智」，為了報復曾經傷害過她的社會，她用最為病態的方式，「她那平扁而尖利的喉嚨四面割著人像剃刀片」，隨心所欲地施展著淫威。

　　小說描寫了一個小商人家庭出身的女子曹七巧的心靈變遷歷程。清末民初，小鎮上天真爛漫的少女曹七巧和京城大戶姜家的三少爺季澤一見鍾情，可七巧的哥哥曹大年貪圖錢財要把妹妹嫁給患有軟骨病

的老二仲澤，七巧為了接近季澤，答應這門婚事。失望至極的季澤在仲澤的婚宴上喝得酩酊大醉，令七巧心痛欲裂。此後，季澤越來越沉淪，常常夜宿妓院，七巧冒險到妓院勸阻，與酒醉的季澤同居了一晚，並因此懷孕，生下一子，由此招致眾人的諸多非議。仲澤為保護妻子，臨終時，堅定地聲稱自己是這孩子的親生父親，姜老太太亦為維護自家的名聲，痛斥眾人對七巧的攻擊。老大伯澤夫婦為了傾吞家產，利用七巧對季澤的感情，設下一個個圈套，造成七巧和季澤誤會重重，使得她們本來純潔的情感在金錢和歲月的摧殘下漸漸消逝。於是七巧的人格開始扭曲，性情變得冷酷，她甚至親手毀掉了兒女的婚姻和幸福，變成一個刻薄自私、終日靠鴉片麻痹靈魂的女人。「三十年來她戴著黃金的枷。她用那沉重的枷角劈殺了幾個人，沒死的也送了半條命。」

▋ 一段傑出的篇章

季澤走了。丫頭老媽子也都給七巧罵跑了。酸梅湯沿著桌子一滴一滴朝下滴，像遲遲的夜漏——一滴，一滴……一更，二更……一年，一百年。真長，這寂寂的一剎那。七巧扶著頭站著，倏地掉轉身來上樓去，提著裙子，性急慌忙，跌跌絆絆，不住地撞到那陰暗的綠粉牆上，佛青襖子上沾了大塊的淡色的灰。她要在樓上的窗戶裡再看他一眼。無論如何，她從前愛過他。她的愛給了她無窮的痛苦。單只這一點，就使他值得留戀。多少回了，為了要按捺她自己，她迸得全身的筋骨與牙根都酸楚了。今天完全是她的錯。他不是個好人，她又不是不知道。她要他，就得裝糊塗，就得容忍他的壞。她為什麼要戳穿他？人生在世，還不就是那麼一回事？歸根究底，什麼是真的，什麼是假的？

——〈金鎖記〉

■ 一分鐘感悟

1. 有福之人不在忙。

2. 人生就是這樣的錯綜複雜，不講理。

■ 一個人的歷史

張愛玲（西元1920年-西元1995年），原名張瑛，祖籍河北豐潤，生於上海，中國現代作家。一九三九年，考入英國倫敦大學，因戰爭改入香港大學，太平洋戰爭爆發後返回上海，期間連續發表〈沉香屑第一爐香〉、〈傾城之戀〉、〈心經〉、〈金鎖記〉等多篇小說，而一舉成名。一九五五年離開香港到美國，在美國期間翻譯了清代小說〈海上花〉。著有小說集《傳奇》。

■ 一點賞析的建議

張愛玲是二十世紀四〇年代上海文壇一個大紅大紫的女作家，關注洋場社會中的青年男女，關注高門望族家庭中地位低下的女性的命運，剖析新舊交雜時代中人性的心理，揭示處於不同社會層面的人物的悲歡離合和榮辱浮沉是張愛玲創作的主要內容。

〈金鎖記〉是一部剖析人生悲劇的力作，作品塑造了一個在黃金的枷鎖下心理扭曲變形的女性形象，展示了封建腐朽文化、欲念對人的異化。

〈小二黑結婚〉
（1943） 趙樹理

▌ 一句話點評

　　趙樹理在作品中那麼熟練地豐富地運用了群眾的語言，顯示了他的口語化的卓越的能力；不但在人物對話上，而且在一般的敘述的描寫上，都是口語化的。

——周揚

▌ 一口氣速讀

　　一九四三年，在中共北方局從事抗日宣傳工作的趙樹理在奉命深入遼縣（今山西左權縣）農村搞調研時，聽到了一對青年男女在追求自由戀愛的過程中，由於受到雙方父母等的阻撓，以致被人打死的悲劇故事。於是，自小就生長在山西這片沃土上，有著深厚生活積澱的趙樹理即以此為原型，將其進行藝術加工，處理成喜劇結局，以便使之更具有鼓舞人的力量，創作出一部鞭撻封建思想、讚揚婚姻自主的中篇小說〈小二黑結婚〉。

　　當時在抗日邊區，文藝思想還較混亂，通俗文藝仍處於被輕視的地位，因此〈小二黑結婚〉的出版遇到挫折。後來彭德懷同志為之題辭：「像這樣從群眾調查研究中寫出來的通俗故事還不多見」，表示支持，小說才得以順利出版。

與文藝界的反映不同，〈小二黑結婚〉出版後受到廣大群眾的熱烈歡迎。各村的農民劇團自發地將其搬上舞臺。許多農村青年因此勇敢地衝出封建枷鎖，大膽追求自由戀愛和自主婚姻。小說的作者趙樹理也因而獲得了「一位具有新穎獨到的大眾風格的人民藝術家」的盛譽。

　　〈小二黑結婚〉講述了抗日戰爭時期，山西某解放區劉家交村的民兵隊長小二黑和婦女委員於小芹自由戀愛產生了感情。但因違背了封建迷信思想嚴重的父母親的意志，遭到了各自家長二諸葛和三仙姑的強烈反對。二諸葛給兒子小二黑買了個幼女作童養媳，三仙姑一心想把女兒嫁給一箇舊軍官。擔任村幹部的流氓惡棍金旺，亦憑藉手中職權，趁火打劫，對小二黑和小芹進行殘酷迫害，幾乎使這對戀人的愛情夭折。後由抗日民主區政府區長出面支持，經過一番鬥爭，懲辦了流氓惡棍金旺，教育了封建愚昧的落後群眾，此時的二諸葛和三仙姑也表示支持兒女的婚事。至此，這對追求婚姻自主、嚮往美好生活的情侶，終於如願以償。

▌一段傑出的篇章

　　到了區上，交通員把她引到區長房子裡，她趴下就磕頭，連聲叫道：「區長老爺，你可要給我做主！」區長正伏在桌上寫字，見她低著頭跪在地下，頭上戴滿了銀首飾，還以為是前兩天跟婆婆生了氣的那個年輕媳婦，便說道：「你婆婆不是有保人嗎？為什麼不找保人？」三仙姑莫名其妙，抬頭看了看區長的臉。區長見是個擦了粉的老太婆，才知道認錯人了。交通員說：「認錯人了！這是于小芹的娘！」

區長打量了她一眼道：「你就是于小芹的娘呀？起來！不要裝神做鬼！我什麼都清楚！起來！」三仙姑站了起來。區長問：「你今年多大歲數？」三仙姑說：「四十五。」區長說：「你自己看看你打扮得像個人不像？」門邊站著老鄉一個十來歲的小閨女嘻嘻嘻笑了。交通員說：「到外邊耍！」小閨女跑了。區長問：「你會下神是不是？」三仙姑不敢答話。區長問：「你給你閨女找了個婆家？」三仙姑答：「找下了！」問：「使了多少錢？」答：「三千五！」問：「還有些什麼？」答：「還有些首飾布匹！」問：「你和你閨女商量過沒有？」答：「沒有！」問：「你閨女願意不願意？」答：「不知道！」區長道：「我給你叫來你親自問問她！」又向交通員道，「去叫于小芹！」

——〈小二黑結婚〉

▋ 一分鐘感悟

1. 插起招軍旗，就有吃糧人。

2. 只可惜官粉塗不平臉上的皺紋，看起來好像驢糞蛋上下了霜。

▋ 一個人的歷史

趙樹理（西元1906年-西元1970年），原名趙樹禮，山西沁水縣人，現代著名小說家、人民藝術家。一九二五年夏考入山西省立長治第四師範，開始寫新詩和小說。一九三七年加入中國共產黨，投身革命。文革期間遭到殘酷迫害，於一九七○年含冤去世。他的小說多以華北農村為背景，反映農村社會的變遷和存在其間的矛盾鬥爭，塑造農村各式人物的形象，開創的文學「山藥蛋派」，成為新中國文學史上最重要、最有影響的文學流派之一。

▉ 一點賞析的建議

〈小二黑結婚〉描寫根據地一對青年男女小二黑和小芹，為衝破封建傳統、爭取婚姻自主的鬥爭，這場鬥爭由於受到金旺等惡霸的迫害和家庭的阻撓而發生了波折。小說的情節既有貫穿的連敘，又有似斷實連；既錯綜變化，又脈絡清晰。他的小說語言是真正做到流到了照生活中的原話寫，卻又「把它修理得比說話更準確、鮮明、生動」。

《白毛女》
（1945） 賀敬之、丁毅

▌ 一句話點評

　　《白毛女》向我們提出了一個當前中國亟需解決的土地問題；楊白勞的死和喜兒的遭難，都是由於農民沒有土地和民主政權的結果。所以今天我們出版或演出《白毛女》，那是十分合乎時宜的。

——劉備耕

▌ 一口氣速讀

　　《白毛女》是一九四〇年代抗日戰爭末期在中國共產黨控制的解放區創作的一部具有深遠歷史影響的文藝作品。此作品後來被改編成多種藝術形式，經久不衰。

　　一九四五年，西北戰地服務團從晉察冀前方回到延安，帶回了民間傳說「白毛仙姑」的記錄本。這個故事在四十年代初開始流行於河北省的阜平一帶。內容敘述一個被地主迫害的農村少女隻身逃入深山，在山洞中堅持生活多年，因缺少陽光與鹽，全身毛髮變白，又因偷取廟中供果，被附近村民稱為「白毛仙姑」。後來在八路軍的搭救下，她得到瞭解放。

　　延安魯迅藝術學院的藝術家賀敬之、丁毅等，根據「白毛仙姑」

的傳說，創作出歌劇《白毛女》。《白毛女》將強烈的浪漫主義精神和共產黨的階級鬥爭理論結合在一起，成為解放區文藝標誌物，迅速風靡各個解放區。之後這齣歌劇還在國統區演出，廣受讚譽。

歌劇講述了佃戶楊白勞與女兒喜兒相依為命，除夕之夜，楊白勞出外躲債回家，本以為馬上就過年了，欠黃世仁的債能躲過去。但令他沒有想到的是惡霸地主黃世仁派狗腿子穆仁智將楊白勞的女兒——喜兒騙去頂債，楊白勞被逼無奈，喝鹵水自殺。喜兒被搶進黃家，遭黃世仁姦污。與喜兒相愛的同村青年大春救喜兒未成，便投奔了八路軍。三年過去了，全村的人都以為喜兒死了，可是喜兒並沒有死，她逃進了深山老林，用野菜、樹皮和廟裡的供品充饑，生活的煎熬使得她的頭髮都變白了，她被村裡的人傳說成鬼，叫她「白毛仙姑」。

抗日戰爭爆發，八路軍深入敵後建立了抗日民主根據地，這時當年投奔八路軍的王大春也跟隨隊伍回到了家鄉，領導窮苦的鄉親們進行減租減息的鬥爭。但是，地主黃世仁借「白毛仙姑」造謠惑眾。為了揭穿黃世仁的陰謀，大春決定查明事實真相，於是，夜晚與大鎖藏在奶奶廟內，適逢變成「白毛女」的喜兒又到奶奶廟來取供品，發現有人慌忙奪路逃走，大春和大鎖緊追到山洞，才發現這個「白毛仙姑」原來是活著的喜兒。

當鄉親們看到了被地主迫害成「白毛女」的喜兒以後，群情激憤，紛紛控訴黃世仁的滔天罪行，這個罪大惡極的惡霸地主終於受到了人民政府的嚴厲的審判。

▌ 一段傑出的篇章

　　北風（那個）吹，雪花（那個）飄，雪花（那個）飄飄，年來到。風卷（那個）雪花，在門（那個）外，風打著門來門自開。我盼爹爹快回家。歡歡喜喜過個年，歡歡喜喜過個年。

　　〔天上下著鵝毛大雪。楊白勞出門躲債剛回來。獨舞。慢板，怒地《漫天風雪》〕（男獨）漫天風雪一片白，躲債七天回家來，地逼債似虎狼，滿腔仇恨我牢記在心頭。

　　〔雙人舞。稍快、活潑《紫紅頭繩》〕（女獨）人家的閨女有花戴，我爹錢少不能買，扯上二尺紅頭繩，給我紮起來。哎，紮呀紮起來。

　　〔做紮頭繩狀。〕（男獨）。

　　人家的閨女有花戴，你爹我錢少不能買，扯上二尺紅頭繩，給我喜兒紮起來。哎，紮呀紮起來。

──《白毛女·第一場》

▌ 一分鐘感悟

　　1. 大風大雪吹的緊，十家燈火九不明。

　　2. 人家過年咱過年，窮富過年不一般：東家門裡有酒肉，佃戶家裡無米麵。

▌ 一個難忘的年代

　　一九四五年由延安魯迅藝術學院集體創作，賀敬之、丁毅執筆的《白毛女》，是這個時期歌劇創作的優秀代表作，為中國的民族新歌劇的發展奠定了基礎。

賀敬之，一九二四年生，山東嶧縣人，現代著名詩人和劇作家。一九四五年，他和丁毅執筆集體創作中國第一部新歌劇《白毛女》，獲一九五一年斯大林文學獎。建國後，寫了《回延安》、《放聲歌唱》、《三門峽歌》、《雷鋒之歌》等有名的詩篇。詩集有《並沒有冬天》、《朝陽花開》、《放歌集》等。

　　丁毅，一九二一年生，原名顧康，山東濟南人，劇作家，曾獲三級獨立自由勳章、二級解放勳章。作品有秧歌劇《劉二起家》，歌劇《打擊侵略者》（與人合作），電影文學劇本《奪印》（與人合作）等。

■ 一點賞析的建議

　　由於《白毛女》在思想上和藝術上的高度成就，它成瞭解放區影響最大、最受歡迎的劇碼。《白毛女》在土改運動和解放戰爭中，充分發揮了藝術作品的感染力量。一個劇本能夠在千千萬萬群眾中起到這樣大的教育作用，這在現代文學史上是空前的。

《圍城》
（1946） 錢鍾書

▌ 一句話點評

錢鍾書的《圍城》是現代諷刺小說在藝術創造上的一個里程碑。

——唐沅

▌ 一口氣速讀

《圍城》是錢鍾書所著的長篇小說。作品以「圍城」為標題具有突出的意義。從表面上看，「圍城」的涵義，可以通過作品中蘇文紈等人的一段對話作初步理解，意思是將人生的婚姻比作一座「被圍困的城堡」，未婚的好像是城外之人，拼命想沖進城裡；而已婚的如被困在城中，又千方百計想逃至城外，這種比喻揭示了婚戀中人們的複雜心態，也是對人倫中的夫婦關係所作的嘲諷。但是，整部小說所反映的更深廣的含意是作者將這種心理傾向擴展到人生萬事。小說的中心就是主人公進進出出於事業、愛情、家庭幾座「圍城」，結果幾乎是屢屢敗北，象徵著當時的人生有著「一無可進的進口，一無可去的去處」的困厄，反映了抗戰時期上層知識分子的生活和心態。

〈圍城〉講述的故事發生於一九二○到一九四○年代。主角方鴻漸是個從中國南方鄉紳家庭走出的青年人，迫於家庭壓力與同鄉周家

女子訂親。但在其上大學期間，周氏患病早亡。準岳父周先生被方所寫的唁電感動，資助他出國求學。

方在歐洲遊學期間，不理學業。為了給家人一個交待，方於畢業前購買了虛構的「克萊登大學」的博士學位證書，並隨海外學成的學生回國。在船上與留學生鮑小姐相識並熱戀，但被鮑小姐欺騙感情。同時也遇見了大學同學蘇文紈。

到達上海後，在準岳父周先生開辦的銀行任職。此時，方獲得了同學蘇文紈的青睞，又與蘇的表妹唐曉芙一見鍾情，整日周旋於蘇、唐二人之間，但最終與此二人感情破裂，並由此結識了蘇的同學趙辛楣。方鴻漸逐漸與周家不和。

抗戰開始，方家逃難至上海的租界。在趙辛楣的引薦下，與趙辛楣、孫柔嘉、顧爾謙、李梅亭幾人同赴位於內地的三閭大學任教。由於方鴻漸性格等方面的弱點，陷入了複雜的人際糾紛當中。後與孫柔嘉訂婚，並離開三閭大學回到上海。在趙辛楣的幫助下，方鴻漸在一家報館任職，與孫柔嘉結婚。

婚後，方鴻漸夫婦與方家、孫柔嘉姑母家的矛盾暴露並激化。方鴻漸辭職並與孫柔嘉吵翻，逐漸失去了生活的希望。所以說：「圍在城裡的人想逃出來，城外的人想衝進去。」對婚姻也罷，職業也罷，人生的願望大都如此。

▌一段傑出的篇章

孫柔嘉在訂婚以前，常來看鴻漸；訂了婚，只有鴻漸去看她，她

輕易不肯來。鴻漸最初以為她只是個女孩子，事事要請教自己；訂婚以後，他漸漸發現她不但很有主見，而且主見很牢固。她聽他說準備退還聘約，不以為然，說找事不容易，除非他另有打算，別逞一時的意氣。鴻漸問道：「難道你喜歡留在這地方？你不是一來就說要回家麼？」她說：「現在不同了。只要咱們兩個人在一起，什麼地方都好。」鴻漸看未婚妻又有道理，又有情感，自然歡喜，可是並不想照她的話做。他覺得雖然已經訂婚，和她還是陌生得很。過去沒有訂婚經驗——跟周家那一回事不算數的——不知道訂婚以後的情緒，是否應當像現在這樣平淡。他對自己解釋，熱烈的愛情到訂婚早已是頂點，婚一結一切了結。現在訂了婚，彼此間還留著情感發展的餘地，這是樁好事。他想起在倫敦上道德哲學一課，那位山羊鬍子的哲學家講的話：「天下只有兩種人。譬如一串葡萄到手，一種人挑最好的先吃，另一種人把最好的留在最後吃。照例第一種人應該樂觀，因為他每吃一顆都是吃剩的葡萄裡最好的；第二種應該悲觀，因為他每吃一顆都是吃剩的葡萄裡最壞的。不過事實上適得其反，緣故是第二種人還有希望，第一種人只有回憶。」

——《圍城》

▌一分鐘感悟

1. 蘇小姐理想的自己是：「豔如桃李，冷若冰霜。」讓方鴻漸卑遜地仰慕然後屈服地求愛。誰知道氣候雖然每天華氏一百多度，這種又甜又冷的霜淇淋作風全行不通。

2. 拍馬屁跟談戀愛一樣，不容許有第三者冷眼旁觀。

■ 一個人的歷史

　　錢鍾書（西元1910-西元1998年），字默存，號槐聚，江蘇無錫人。一九三三年於清華大學外國語文系畢業後，在上海光華大學任教。一九三五年與楊絳結婚，同赴英國留學。一九三七年畢業於英國牛津大學，獲副博士學位。又赴法國巴黎大學進修法國文學。一九三八年秋歸國，先後任昆明西南聯大外文系教授、湖南藍田國立師範學院英文系主任。一九四一年回家探親時，因淪陷而羈居上海，寫了長篇小說《圍城》和短篇小說集《人‧獸‧鬼》。散文大都收入《寫在人生邊上》。

■ 一點賞析的建議

　　《圍城》頗似目前在國外流行的智性小說，裡面隨處可遇文化的密碼。這種小說隨著讀者知識的不斷豐富，它隱藏在迷霧後面的豐富性也就會逐漸敞開。

〈王貴與李香香〉
（1946年） 李季

▌ 一句話點評

　　長詩〈王貴與李香香〉是一個卓越的創造，就說它是「民族形式」的史詩。似乎也不過分。

——茅盾

▌ 一口氣速讀

　　〈王貴與李香香〉是由李季於一九四六年發表的一首長篇敘事詩。全詩採用陝北民歌「信天遊」的格式和手法，在新詩藝術的民族化和大眾化方面取得了可喜的成就。

　　〈王貴與李香香〉以土地革命時期陝北農民革命運動為背景，通過一對農村男女青年的戀愛故事，揭露了舊農村階級壓迫的悲慘狀況，生動地表現了陝北地區農民鬧革命的壯烈景象，「不是鬧革命窮人翻不了身，不是鬧革命咱倆也結不了婚」，明確的表達了詩歌的主題。

　　〈王貴與李香香〉有三個敘事元素，即愛情故事與復仇故事相結合，最終演化成為鬥爭故事，成功的塑造了王貴和李香香這兩個覺醒了的青年農民形象，突出了王貴對革命的堅定信念和李香香的堅貞不屈的精神。

▋ 一段傑出的篇章

百靈子雀雀百靈子蛋，

崔二爺家住死羊灣。

大河裡漲水清混不分，

死羊灣有財主也有窮人。

死羊灣前溝裡有一條水，

有一個窮老漢李德瑞。

白鬍子李德瑞五十八，

家裡只有一枝花。

女兒名叫李香香，

沒有兄弟死了娘。

脫毛雀雀過冬天，

沒有吃來沒有穿。

十六歲的香香頂上牛一條，

累死掙活吃不飽。

羊肚子手巾包冰糖，

雖然人窮好心腸。

玉米結子顆顆鮮，

李老漢年老心腸軟。

時常拉著王貴的手，

兩眼流淚說：「娃命苦！

年歲小來苦頭重，

沒娘沒大孤零零。

討吃子住在關爺廟，

我這裡就算你的家。」

颱風下雨人閒下，

王貴就來把柴打。

一個妹子一個大，

沒家的人兒找到了家。

——《王貴與李香香·李香香》

▌一分鐘感悟

1. 千里的雷聲萬里的閃，陝北紅了半個天。紫紅鍵牛自帶犂，鬧革命的心思人人有。

2. 滿天雲彩風吹亂，咱倆的婚姻叫人攪散。五穀里數不過豌豆圓，人裡頭數不過咱倆可憐！

▌一個人的歷史

李季（西元1922年-西元1980年），原名李振鵬，筆名里計、於一帆等，現代著名詩人，河南唐河人。李季少年參加革命，一九三八年到延安，在抗日軍政大學學習。他在陝北三邊擔任小學教員時，深入群眾生活，熟悉當地方言，並採用鼓詞、評書等形式進行文學創作，作品有〈卜掌村演義〉、〈老陰陽怒打蟲郎爺〉，長詩〈王貴與李香香〉、〈楊高傳〉，詩集《玉門詩抄》等，〈王貴與李香香〉是其詩歌的代表作。

▌一點賞析的建議

〈王貴與李香香〉是中國解放區文學創作中長篇敘事詩的高峰，

是現代新詩進程中的一次重大突破。它將鮮明的時代色彩，深厚的革命內涵和質樸的民歌形式融為一體。作者儘量把王貴和李香香的感情處理為「階級兄妹」般的愛情，這樣的敘述模式是革命意識形態對民間宗法制意識形態引導的產物，也是那一時期延安文藝創作的共同模式。

《太陽照在桑乾河上》
（1948） 丁玲

▌一句話點評

然而從另外一方面說來，則凡屬於一個女子某種美德，她卻毫無缺處。她親切卻不狎褻。她爽直並不粗暴。

——沈從文

▌一口氣速讀

《太陽照在桑乾河上》是以農民、農村鬥爭為主體創作的長篇小說。這部小說以桑乾河邊暖水屯為背景，真實生動地反映了土改中農村尖銳複雜的階級鬥爭，展現出各個階級不同的精神狀態。

《太陽照在桑乾河上》全書是從一個後來被錯劃成富農的富裕中農顧湧，在附近村子聽到土改鬥爭的風聲開始的。但顧湧並不是小說中的主要人物。作者在寫了顧湧回到暖水屯後就沒有以更多的筆墨突出寫這一人物，而是進一步寫了土改鬥爭給這個村子帶來的震動，以主要篇幅寫了構成暖水屯基本矛盾的農民和地主兩個方面的代表人物：張裕民、程仁以及錢文貴、李子俊等。

張裕民是暖水屯的第一個共產黨員，作品突出了他沉著、老練、忠心耿耿的品質，他在群眾中有威信，在幹部中有號召力，在村裡處於舉足輕重的地位。

和張裕民一樣從小受地主剝削的長工程仁，樸實憨厚，對地主階級有本能的仇恨。因為和錢文貴的侄女黑妮的關係，他在鬥爭中也有思想矛盾，總感到有什麼東西「拉著他下垂」。但他在鬥爭的暴風雨中還是站穩了自己階級的立場，向地主階級進行了勇敢的鬥爭。

　　至於地主錢文貴，從他身上的確可以看到，地主階級是怎樣抗拒土改鬥爭的。作者突出了錢文貴的謀略見識：土改之前就讓兒子錢義去參軍，土改時又搞美人計逼迫侄女黑妮去找農會主任程仁；他夥同白娘娘、任國忠搞迷信，播謠言，利用女婿張正典欺壓貧農，妄圖轉移鬥爭目標；就在被押上臺鬥爭時，開始還故作鎮靜，想用「威嚴」的目光壓制農民的控訴。除錢文貴外，作者還寫了其它幾個不同特點的地主：膽小絕望的李子俊，兇險厲害的江世榮，對農民恨得咬牙切齒的侯殿魁等。

■ 一段傑出的篇章

　　黑妮離開了窗戶，向她伯母冷冷的一望，鼻子裡悄悄的哼了一聲，走回了自己的房。她鄙夷的想道：「這些人，真是，有什麼了不得，值得這麼鬼鬼祟祟！」

　　錢文貴用兩個指頭撚著他的鬍鬚，把眼睛擠得很小，很長，從眼角里望著那小學校教員。任國忠抽了一口煙，便又繼續說他剛才說到的那些新聞：

　　「……報紙上也登載了這號子事，說是孫中山的主張，平安鎮都已經鬧得差不多了。財主家的紅契都交出來了。咱涿鹿怕也逃不脫。凡是共產黨八路軍管的地面就免不了。」這時錢文貴的眼睛就更眯成

了一條縫，他說：「那當然，這是共產黨的辦法，不，是……是叫政策！這個政策叫什麼？呵，你剛才說過了的叫什麼呀？呵！這叫做『耕者有其田』！是的，『耕者有其田』，很好，很好，這多好聽，你叫那些窮骨頭聽了還有個不上套的！嗯，很好，很好……」停了一會，他又接下去說道：「不過，唔，天下事也不會有那麼容易，你說呢，老蔣究竟有美國人幫助。」

——《太陽照在桑乾河上》

▌ 一分鐘感悟

1. 走過了這片地，又到了菜園地裡了，水渠在菜園外邊流著，地裡是行列整齊的一畦一畦的深綠淺綠的菜。顧老漢每次走過這一帶就說不出的羨慕，怎麼自己沒有這麼一片好地呢？

2. 「嗯，快過河了，洋河水漲了，你坐穩些！」老漢噠，噠，噠的敲著他的煙袋。路途是這樣的難走啊！

▌ 一個人的歷史

丁玲（西元1904年-西元1986年），原名蔣偉，字冰之，筆名彬芷、從喧等，湖南臨澧人，中國當代著名的作家、社會活動家。一九三〇年五月，丁玲加入中國左翼作家聯盟，成為魯迅旗下一位具有重大影響的左翼作家。〈莎菲女士的日記〉、《太陽照在桑乾河上》是丁玲代表作品之一，曾獲斯大林文藝獎金。

▌ 一點賞析的建議

《太陽照在桑乾河上》在藝術上有著自己的特色，全書近四十個

人物，寫了一個農村土改鬥爭從醞釀到發動群眾，幾經曲折終於鬥倒地主的過程，故事線索紛繁，然而主次分明，繁而不亂。但小說在文學技術層面的處理上有一些缺憾，在閱讀時要注意。

《雅舍小品》
（1939-1949） 梁實秋

▌一句話點評

在現代散文作家中，論幽默的才能，首推梁實秋，其次是錢鍾書。

——司馬長風

▌一口氣速讀

《雅舍小品》中的文章，寫的不外衣食住行、營養娛樂、人倫道德、世態炎涼、生老病死等，是身邊瑣事，是每個人都會碰到的日常生活。如〈洗澡〉、〈敬老〉、〈吃相〉、〈孩子〉、〈理髮〉之類，從中幾乎看不出時代的風雲，但卻頗有藝術魅力。他把種種人人熟悉的際遇和自迷的狀態略略曝光，人情的微妙，事態的紛紜，或者有意無意的小把戲，於他從容的幽默戲謔中顯露無疑，作者的品格和睿智也就在其中了。

《雅舍小品》中還有一些回憶性的散文，談東安市場，談北京的早晨，談水木清華，平淡中蘊含剪不斷的悠悠鄉愁與寂寞情懷，讀後常令人不勝。

■ 一段傑出的篇章

讓座之風之所以如此地盛行，其故有二。第一，讓來讓去，每人總有一個位置，所以一面謙讓，一面穩有把握。假如主人宣佈，位置只有十二個，客人卻有十四位，那便沒有讓座之事了。第二，所讓者是個虛榮，本來無關宏旨，凡是半徑都是一般長，所以坐在任何位置（假如是圓桌）都可以享受同樣的利益。假如明文規定，凡坐過首席若干次者，在銓敘上特別有利，我想讓座的事情也就少了。我從不曾看見，在長途公共汽車車站售票的地方，如果沒有木製的長柵欄，而還能夠保留一點謙讓之風！因此我發現了一般人處世的一條道理，那便是：可以無需讓的時候，則無妨謙讓一番，於人無利，於己無損；在該讓的時候，則不謙讓，以免損己；在應該不讓的時候，則必定謙讓，於己有利，於人無損。

——《雅舍小品·謙讓》

■ 一分鐘感悟

1. 莎士比亞有一句名言：「『脆弱』呀，你的名字叫做『女人』！」但這脆弱，並非永遠使女人吃虧。越是柔韌的東西，越不易摧折。

2. 最暴露在外面的是一張臉，從「魚尾」起皺紋撒出一面網，縱橫輻射，疏而不漏，把臉逐漸織成一幅鐵路線最發達的地圖。

■ 一個人的歷史

梁實秋（西元1902年-西元1987年），北京人，著名散文家、翻譯家。一九一五年入讀清華學校。一九二五年與冰心、許地山等同船赴

美留學，一九二六年回國後在多所高校任教。一九二七年加入「新月社」。梁實秋一生著作等身，他翻譯了四百多萬字的莎士比亞全部劇作和三卷詩歌，著成一百萬字的《英國文學史》。譯出一二四冊《世界名人傳》。編成三十多種英漢字典和數十種英語教材。還著有《雅舍小品》、《雅舍雜文》、《雅舍談吃》、《秋室雜文》、《實秋雜文》、《實秋文存》、《槐園夢憶》等。

▌ 一點賞析的建議

梁實秋的散文篇篇各呈異彩，令人愛不釋手，一切諸如清麗雋永簡潔之類的評語，都不足以對它評頭品足，它真正達到了爐火純青、出神入化的境界。《雅舍小品》中的散文，多是專於一題，旁徵博引，如敘家常，娓娓道來。其形式多種多樣，不拘一格。當然有時也不免故意追求俏皮，從而流於油滑。讀者於此處須有清醒的判別。

《四世同堂》
（1944-1951） 老舍

▍一句話點評

在許多西方讀者心目中，《四世同堂》的作者老舍比起任何其它的西方和歐洲小說家，似乎更能承接托爾斯泰、狄更斯、陀思妥耶夫斯基和巴爾扎克的「輝煌的傳統」。

——康斐爾德

▍一口氣速讀

規模宏偉的長篇巨著《四世同堂》包括《惶惑》、《偷生》、《饑荒》三部。小說以抗戰時淪陷後的北平為背景，以四世同堂的祁家的遭遇為結構線，通過對偏僻的小羊圈胡同裡十幾戶普通市民家庭不幸遭遇和沉浮興衰的敘寫，生動地揭示了日偽統治下北平社會生活的廣闊畫面，描繪了北平人民痛苦、屈辱、悲慘的生活情景，歌頌了崇高的民族氣節和勇敢抗爭精神，鞭撻了日寇的兇殘和漢奸走狗們的罪惡行徑，並從全域對抗戰作了文化的反思。

一九三七年「七七事變」侵華日軍的鐵蹄踐踏著古老的北京城。小羊圈胡同的十幾戶居民，平靜的生活被打亂了。這些普通的中國人，一夜之間被迫進入了一個夢魘般的世界。身為四世之尊的祁老太

爺是一個倔強、正直，令人尊重的長者；八國聯軍打進北京的閱歷，使他懂得了在國家民族大事上的是與非，愛和憎。兒子祁天祐上敬父母，下祐子孫，是一個正派的生意人，結果反受日本人敲詐勒索，遊街示眾，被逼投河自盡。長孫祁瑞宣，是一位中學英文教師，在極端困難的條件下也不為日寇作事，同妻子韻梅維持一家老小生計。次孫祁瑞豐貪圖安逸享樂當了漢奸。三孫祁瑞全是個熱血青年，出城參加了八路軍。全家的心肝寶貝曾孫女小妞妞在日本投降前夕被活活餓死。小羊圈胡同的其它人，或抗爭，被出賣，弄得家破人亡，或苟且偷生，認賊作父；有人被屠殺，有人被逼瘋了……。

■ 一段傑出的篇章

大赤包的所長發表了。為討太太的喜歡，冠曉荷偷偷的寫了兩張喜報，教李四爺給找來兩名花子，到門前來報喜……。

他的報子寫得好。大赤包被委為妓女檢查所的所長，冠先生不願把妓女的字樣貼在大門外。可是，他不曉得轉文說，妓女應該是什麼。琢磨了半天，他看清楚「妓」字的半邊是「支」字，由「支」他想到了「織」；於是，他含著笑開始寫：「貴府冠夫人榮升織女檢查所所長……」。

二人剛走到院裡，就聽見使東陽和窗紙一齊顫動的一聲響。曉荷忙說：「太太咳嗽呢！太太作了所長，咳嗽自然得猛一些！」

大赤包坐在堂屋的正當中，聲震屋瓦的咳嗽，談笑，連呼吸的聲音也好像經由擴音機出來的。見東陽進來，她並沒有起立，而只極吝嗇的點了一下頭，而後把擦著有半斤白粉的手向椅子那邊一擺，請客人坐下。她的氣派之大已使女兒不敢叫媽，丈夫不敢叫太太，而都須

叫所長。見東陽坐下，她把嗓子不知怎麼調動的，像有點懶得出聲，又像非常有權威，似乎有點痰，而聲音又那麼沉重有勁的叫：「來呀！倒茶！」

——《四世同堂》

▎一分鐘感悟

1. 盡人事，聽天命。總之生在這個年月，一個人須時時勇敢的去面對那危險的，而小心提防那「最」危險的事。

2. 你須把細心放在大膽裡，去且戰且走。你須把受委屈當作生活，而從委屈中咂摸出一點甜味來，好使你還肯活下去。

▎一個人的歷史

老舍（西元1899年-西元1966年），原名舒慶春，字舍予，北京滿族人，現當代著名作家。一九一八年畢業於北京師範學校。一九二四年赴英國，任教於倫敦大學東方學院。一九三○年回國，歷任齊魯大學、山東大學等校教授。抗戰期間任中華全國文藝界抗敵協會總務部主任。新中國成立後曾任政務院文教委員會委員，中國文聯副主席、中國作家協會副主席、北京市文聯主席等職。一九五○年，因創作優秀話劇《龍鬚溝》而被授予「人民藝術家」稱號。文化大革命初期因遭迫害而投湖自殺。老舍一生著述豐富，代表作有長篇小說〈駱駝樣子〉、〈四世同堂〉，中篇小說〈月牙兒〉，劇本《茶館》等。

▎一點賞析的建議

《四世同堂》刻畫人物的手法豐富多樣，如個性化的心理描寫。站在歷史的高度，寫出人物豐富的文化內涵等，都值得我們認真學習和研究。

七

融合激揚的中國當代時期

《暴風驟雨》
（1951） 周立波

■ 一句話點評

周立波是我喜歡的中青年詩人之一。

——《星星》雜誌

■ 一口氣速讀

《暴風驟雨》是周立波著名的的長篇小說。小說設定在一九四六年到一九四七年的一條名為元茂屯的小村莊，其中有代表共產黨的郭全海，代表農民的趙玉林，代表地主的韓老六等形象，從而中折射出中國共產黨控制範圍內的當時的中國農村社會的一些矛盾衝突。

一九四六年，東北戰場上，東北人民解放軍經過五個多月的戰鬥，粉碎了敵人的全面進攻。但為了在東北廣大農村裡站穩腳跟、鞏固後方，我軍在集中優勢兵力攻擊敵人的同時，抽調兩萬五千名幹部下鄉，「到農村中去到群眾中去」，發動廣大的農民群眾，掀起了一場東北土地改革運動的暴風驟雨，為我軍將來轉入全國反攻創造條件。

正在前線作戰的我軍某部教導員肖祥被調往反動勢力最為猖獗的元茂屯的途中，從趕車人老孫頭吞吞吐吐的言語中瞭解到，元茂屯阻

礙土改的惡分子是韓老六，同時也注意到苦大仇深的趙玉林將是需要發動的農民積極分子，他決心做細緻的發動工作，讓群眾自己起來解放自己。

肖隊長到屯後，拒絕了鑽進農會的壞分子張富英要工作隊住韓家大院的安排，住進了條件艱苦的小學校；韓老六又在村中煽風點火，聲稱共產黨在東北呆不久，國民黨中央軍不久即來，以此阻止疑慮重重的農民同工作隊接觸和訴苦。

肖隊長及時識破了地主們的陰謀，深入貧雇農中間瞭解情況，同苦大仇深的趙玉林、白玉山、郭全海等人交朋友，向他們講黨的方針、政策，提高他們的革命覺悟，培養他們做土改積極分子。一場暴風驟雨終於來了……。

▋ 一段傑出的篇章

剛說到這兒，小兒馬子狂蹦亂跳，越跳越高，越蹦越有勁。兩個後腿一股勁地往後踢，把地上的雪，踢得老高。老孫頭不再說話，兩隻手豁勁揪著鬃毛，嚇得臉像窗戶紙似地煞白，馬繞著場子奔跑，幾十個人也堵它不住，到底把老孫頭扔下地來。它衝出人群，跑出學校，往屯子的公路一溜煙似地跑走了。郭全海慌忙從柱子上解下青騍馬，翻身騎上，攆玉石眼去了。這兒，老孫頭摔倒在地上，半晌起不來，周圍的人笑聲不絕。趁著老孫頭躺在地上叫哎喲，不能回嘴的機會，調皮的人們圍上來，七嘴八舌打趣道：「怎麼下來了？地上比馬上舒坦？」「沒啥，這不算摔跤，多咱看見咱們老孫頭摔過跤呀？」「這屯子還是數老孫頭能幹，又會趕車，又會騎馬，摔跤也摔得漂

亮。啪塌一響,掉下地來,又響亮,又乾脆。」老孫頭手腳朝天,屁股摔痛了。他哼著,沒有工夫回答人們的玩話。幾個人跑去,扶起他來,替他拍掉沾在衣上的乾雪,問他哪塊摔痛了?老孫頭站立起來,嘴裡嘀咕著:「這小傢伙,回頭非揍它不解。哎喲,這兒,給我揉揉。這小傢伙……哎喲,你再揉揉。」郭全海把老孫頭的玉石眼追了回來,人馬都氣喘吁吁。老孫頭起來,跑到柴火垛子邊,抽根棒子,撐上兒馬,一手牽著它的嚼子,一手狠狠掄起木棒子,棒子掄到半空,卻扔在地上,他捨不得打。

——《暴風驟雨》

■ 一分鐘感悟

1. 風是雨的頭,風來了,雨也要來的。但到底是瓢潑大雨呢,還是牛毛細雨?還不能知道。

2. 天下窮人都姓窮,天下窮人是一家。

■ 一個人的歷史

作者周立波(西元1908年-西元1979年),原名紹儀,筆名張一柯、張尚斌等。一九二九年開始文學活動,先後參加左翼戲劇家聯盟和左翼作家聯盟,寫作翻譯了大量進步作品。《暴風驟雨》獲一九五一年斯大林文學獎金三等獎,晚年創作的〈湘江一夜〉被評為一九七八年全國優秀短篇小說獎。

■ 一點賞析的建議

《暴風驟雨》具有飽滿的革命激情。小說的結構單純,故事突

出，線索清楚。全書以土改鬥爭發展的過程為主線，寫了一場場鬥爭，讓所有人物在鬥爭中活動。同時，在鬥爭中也插有一些生動的情節或細節，增加讀者興味。

另外，作品中運用東北農民的口語，語彙豐富，生動活潑，有很強的表現力和濃厚的生活氣息及地方色彩。特別是許多對話，都是個性化的語言，使人聞其聲如見其人。不足的是作品中有時口語用得太多，由於缺乏提煉和選擇，因此多少影響讀者的理解。

《苦菜花》
（1955） 馮德英

■ 一口氣速讀

　　長篇小說《苦菜花》以抗日戰爭時期膠東半島昆嵛山區的王官莊為背景，以仁義嫂及其一家的際遇為中心線索，從一個側面反映了抗日根據地軍民在反掃蕩中所進行的不屈不撓的英勇鬥爭，鮮明地表現了根據地人民那種英勇不屈的精神，成功地塑造了一個普通而感人的革命母親的藝術形象。

　　抗日救亡的烽火在膠東半島燃燒。王官莊貧農馮仁義，為逃避惡霸地主王唯一的迫害，隻身闖關東，留下妻子仁義嫂拉扯著五個孩子艱難度日。姜永泉領導鄉親們武裝暴動。仁義嫂的大女兒娟子參加這場戰鬥。暴動勝利，王官莊群眾公審並槍決了王唯一。仁義嫂也衝破重重阻力，支持娟子當婦救會長，投入抗日鬥爭的洪流。

　　國民黨特務、王唯一的堂兄弟王柬芝奉命回到王官莊。他偽裝進

步，以騙取群眾信任，當了小學校長。其妻不甘做封建婚姻制度的犧牲品，不堪丈夫的精神折磨，愛上了長工王長鎖，並生下女兒杏莉。王東芝利用妻子的隱私，挾制王長鎖為他傳送情報，進行特務活動。王東芝趁娟子外出之機派人暗殺她，沒有成功，便狡猾地殺人滅口。

八路軍某部兵工廠遷到王官莊，區婦救會長趙星梅和兵工廠主任紀鐵功這對戀人，為了全力投入革命工作而決定暫不結婚。不久，紀鐵功為保護彈藥英勇犧牲。敵人妄圖破壞兵工廠，鬼子大隊長龐文突然襲擊王官莊，將群眾趕往南沙灘。王東芝施苦肉計以掩人耳目。星梅等慷慨就義，仁義嫂被捕。敵人逼仁義嫂上山找兵工廠埋機器的地點，她卻把敵人引到雷區。兇狠歹毒的敵人，當著仁義嫂的面殘酷地殺害了她的小女兒嫚子。杏莉母親和王長鎖等機智地救出母親。根據地軍民幾經血戰，粉碎了敵人的「掃蕩」，王官莊又回到人民手中。

德強從部隊轉到中學讀書，與杏莉同班同桌。他倆自幼相熟，緊張的戰鬥生活更加深了感情，終於相愛了。杏莉發現王東芝是漢奸，要去告發，被王東芝攔住殺害了。王東芝倉皇出逃，被娟子捉住。王東芝受到群眾的嚴正審判，其黨羽也被一網打盡。杏莉母親和王長鎖這對有情人終成眷屬。

抗日軍民打得鬼子龜縮在據點裡不敢露頭，人們稱仁義嫂為光榮媽媽。娟子和姜永泉結了婚，花子也與王東海建立了美滿的家庭。離家六年的馮仁義回來了。他得知家鄉的變化，立即投入抗日鬥爭，被選為村幹部。王東海與花子訂婚後即奔赴戰場。為使娟子能專心工作，母親勇敢地挑起撫養外孫女菊生的擔子。為配合部隊攻城，德強

率便衣隊進城以裡應外合；母親和娟子以走親戚之名潛入道水，英勇機智地搞到了鬼子大隊長龐文的印信。不料，和德松一起打入敵人營區的孔江子叛變，致使德松犧牲，情況急轉直下。一群敵人沖過來，仁義嫂臨危不懼，手持兒子留下的手槍，身靠牆根，勇敢地射出仇恨的子彈。

軍民們英勇奮戰，終於全部殲滅守城的敵軍，紅旗插上道水城頭。在這勝利的時刻，仁義嫂一家又團聚了。鮮豔的紅旗和陽光映照著這位躺在擔架上的英雄母親。她深情地注視著女兒秀子手中的鮮花，特別是那金黃色的苦菜花吸引著她，她好像嘗到苦菜根清涼可口的苦味，嗅到了苦菜花的馨香，臉上露出欣慰的幸福的微笑。

■ 一段傑出的篇章

等德強聽到響聲抬起頭，敵人已沖到跟前了。兩個鬼子呼哧呼哧地撲到他身邊，就要動手抓。德強一頭從敵人胳膊縫裡鑽出去，飛快地竄進山溝，向山上猛跑。也許敵人欺他年小，也許敵人是想抓一個和八路軍來聯繫的活口，他們不放槍，只是嗚哇地叫著追。不知怎的，是心太慌，是掉進冰裡的那隻腳凍麻木了，還是跑路太多累壞了？德強這時跑起來很費力。敵人越追越近，只隔幾十步了。德強連頭也來不及回，一邊跑一邊掏出手雷，急轉身，用力摔出去。轟的一聲，一個鬼子應聲倒下去。趁敵人趴下和煙幕的遮蔽，德強一頭鑽進稠密茸茸的大松林裡⋯⋯。

——《苦菜花》

▌ 一分鐘感悟

1. 和第一個在一起，她是活人，有靈魂，有理智，全身流動著血液。可是她時常不得不痛心地支開他，而去接受另一個的強迫。在這時，她是死的，沒有了靈魂，也沒有了感覺。

2. 生死一脈相流的戰友的友情，使人類所有的任何友誼，都無可比擬。

▌ 一個人的歷史

　　馮德英（西元1935年-至今），山東牟平（今屬乳山）人，當代作家。馮德英生於一個貧苦農民家庭，全家都投身於人民革命鬥爭。一九四九年初參加中國人民解放軍，有機會在幾年間讀了大量中外文藝作品和文化讀物。曾任空軍政治部文化部創作員，後任山東省作家協會主席、《泉城》主編等職。一九五四年開始創作長篇小說《苦菜花》，還出版了長篇小說〈迎春花〉、〈山菊花〉，另有一些短篇小說、散文和電影劇本。

▌ 一點賞析的建議

　　《苦菜花》中作者善於提煉生動而富於特徵性的情節，描繪了驚心動魄的場面，這對於刻畫人物、增強作品的藝術感染力都有重要作用。《苦菜花》的不足之處是，由於對當時鬥爭的歷史背景展示不夠廣闊，致使作品未能涵納更為深廣的社會歷史生活內容。

〈林海雪原〉

（1957） 曲波

■ 一句話點評

〈林海雪原〉只是起點，不是終點；〈林海雪原〉只是你創作水準的基點，不是高點。

——周恩來

■ 一口氣速讀

小說〈林海雪原〉是革命歷史題材的經典文學作品之一，它的寫作給那些生長在和平年代、沒有經過沙場血戰經歷的人們提供了足夠充分和瑰麗的關於戰爭的想像。這其中，有險象環生的山野密林，有年輕戰士敏捷的身手，有驚心動魄、靈巧機變的攻守進退，也有細膩如織的愛恨情仇。曲折激蕩的情節，復現了那些久遠的人和事；他們是這樣的觸手可及、呼之欲出，使人禁不住與之一起悲歡、焦灼和愉悅。

一九四六年冬天，東北人民解放軍一支小分隊，在團參謀長少劍波的率領下，深入林海雪原執行剿匪任務。小分隊設下埋伏，抓獲了座山雕手下的情報副官一撮毛，繳獲了敵匪的地下先遣軍聯絡圖。

經反覆提審一撮毛和小爐匠，初步瞭解到威虎山座山雕匪幫的情

況，偵察英雄楊子榮提出一個大膽的設想：打進威虎山內部，探得敵情，配合小分隊裡應外合全殲座山雕匪幫。楊子榮化裝成已被消滅的另一夥土匪許大馬棒的飼馬副官胡彪，隻身來到威虎山。

在威虎山上，巧妙地應答了座山雕及手下「八大金剛」的多方盤問，並利用座山雕急於擴大實力、擴展地盤的心理，獻上了繳獲的敵匪地下先遣軍聯絡圖。初步得到了座山雕的信任，並被封為威虎山上的「老九」上校團副。

年三十，威虎山要擺「百雞宴」，讓楊子榮擔任值日官和「百雞宴」的司宴官。白天楊子榮指派著全山的匪徒把大廳裡裡外外安上了六十盞豬油燈，說這正應座山雕的六十大壽。他還說服座山雕以大慶為名，要把今年的百雞宴全擺在廳裡，以便於小分隊進來一網打盡。座山雕對他的這些安排大加讚賞。楊子榮在「百雞宴」上八面威風，巧施安排，匪徒們個個喝得爛醉如泥，東倒西歪。小分隊及時趕到，楊子榮和戰友們裡應外合，一舉全殲威虎山的這夥頑匪，戰鬥取得了全面的勝利。

▌ 一段傑出的篇章

一陣空前激烈的槍聲傳來，子彈掠空而過。

「三爺！我上去指揮。」

楊子榮一面向座山雕請示，一面邁開大步奔向東北山包。楊子榮隱蔽在山頭上的一棵樹旁，借著晨光向正前方觀察。看到幾個不密的黑影，向這裡射擊，從他的觀察中更證實了自己的判斷。

「好機會！」楊子榮一陣高興地想，「再來一個借題發揮！」

他抽出大肚匣子，「我打死幾個匪徒，在座山雕面前顯顯我的本事，解除這個老匪對我的懷疑。」想著，他把大肚匣子上了把，點射兩發，把快慢機一撥，嘟……一梭子，子彈雨點似的落在幾個黑影周圍，翻起幾點雪塵。

他立即再換上梭子，剛要射擊，突然一隻手搭上他的肩膀：「老九！慢來！」

——〈林海雪原〉

■ 一分鐘感悟

1. 這一仗打得真妙，好比八月裡照螃蟹，照到了灣邊上，一網打盡。

2. 在她看來，劍波好像晴朗的天空中一輪皎潔的明月，他是那樣的明媚可愛，但又是那樣的無私公正。她總想把他的光明收到自己懷裡，獨佔了他，可是他總像皎潔的月光一樣普照著整個大地上所有的人，不管是有意賞月的人和無意賞月的人。

■ 一個人的歷史

曲波（西元1923年-西元2002年），山東蓬萊人，作家。一九三八年他加入八路軍，解放戰爭初期，率領一隻英勇善戰的小分隊，深入東北牡丹江一帶的深山密林進行剿匪戰鬥。有濃鬱傳奇色彩的〈林海雪原〉的故事，就是以他的這段經歷為依據寫成的。

■ 一點賞析的建議

讀者在閱讀〈林海雪原〉時，要注意把握〈林海雪原〉的「革命

英雄傳奇」的性質和藝術處理上的民族風格。八個革命樣板戲之一的
《智取威虎山》改編自〈林海雪原〉故事中的一個部分。

《李自成》

（1957） 姚雪垠

■ 一句話點評

中國的封建文人也曾寫過豐富多彩的封建社會的上層和下層的生活；然而，用歷史唯物主義和辯證唯物主義來解剖這個封建社會，並再現其複雜變幻的矛盾的本相，「五四」以後也沒有人嘗試過，姚雪垠是填補空白的第一人。

——茅盾

■ 一口氣速讀

《李自成》是作家姚雪垠傾注半生心血和精力完成的長篇歷史小說巨著。「長河式」的小說，從崇禎十一年寫起，全面地反映明末李自成起義由困厄轉到興盛，復由勝利走向失敗這一歷史的發展過程。

崇禎十二年夏，商洛山中瘟疫流行，李自成和十之六七的義軍將士染病。明軍趁機數路進攻，同時勾引義軍內部叛變，情況極其險惡。李自成、劉宗敏和高夫人等表現了非凡的鬥爭勇氣和卓越的軍事才能，內平叛亂，外殲明軍，粉碎了敵人的「掃蕩」計劃。

次年夏初，李自成率領千餘精兵從武關突圍而出，潛伏於鄖陽山中。冬天，李自成看準時機疾馳入豫，饑民從之如流；隨即破洛陽，

殺福王，將明末農民戰爭推進到一個新的階段。

　　小說著重展示了李自成從困境中奮鬥，達到鼎盛，卻又在鼎盛期內潛伏著深刻的危機，埋下後來失敗的種子。作品不僅著力描繪了農民軍和明王朝之間這場生死大搏鬥，而且寫出了當時十分激烈地進行著的民族戰爭，還寫出了明朝統治集團內部的尖銳矛盾，李自成、張獻忠、羅汝才幾支義軍之間的矛盾，李自成部隊內在的矛盾，寫出了明末社會上各個階級、階層的相互關係以及他們在農民大起義過程中出現的種種變化。人物從帝王、后妃、百官到義軍將領、戰士、各類市民、窮苦百姓，乃至清方首領與文臣武將，地域從西北高原、中州重鎮、北京城內到僻遠山村、關外城池，場面從戰地廝殺、牢獄交鋒、密室定計、邊塞平叛到宮廷宴飲、相府風光、京城燈市、軍中婚禮，筆墨無不觸及。

▌一段傑出的篇章

　　李自成鎮定而威嚴地向全場慢慢地看了一遍。奇怪，僅僅這麼一看，嚷叫和謾罵的聲音落下去了，騷動的人群靜下去了。當然，這是緊張中的平靜，可能很快就會發出新的颶風和海嘯。所有的眼光都集中在李闖王臉上，等待他開口說話。闖王竭力抑制著憤怒，說道：

　　「自從我李自成起義以來，這還是第一次我的部下鼓譟。眼下官軍就要分幾路向商洛山中大舉進犯，你們不但不想辦法抵擋官軍，偏在這節骨眼上鼓譟起來，圍攻自家兄弟。你們難道想叫官軍來佔領石門寨麼？你們既然隨我李闖王起義，就該走打富濟貧，剿兵安民的正路。只要你們跟著我順著正路走，都是我的好兄弟，別的話都好說。

你們要聽信壞人挑唆，叛變了我，投降官軍，我決不答應。只是一時受了挑唆，糊塗了心，跟著別人鼓譟起哄，從現在起不再鼓譟，聽從我的將令，齊心剿殺官軍，縱然做了圍攻自家兄弟的錯事我可以既往不咎。倘若有人受了別人挾持，打算投降官軍，一隻腳踏在岔路上，只要立即將那只腳收回來，繼續跟我走正路，也一概既往不咎。我李闖王自來說一不二，句句話出自真心。」他隨手從腰間拔出一支雕翎箭，接著說，「倘若我李自成出言反覆，猶如此箭！」只見他雙手一掰，箭杆折為兩段，投到眾人面前。

——《李自成》

▌ 一分鐘感悟

1. 世界從來就不公道，在男女婚姻上也是一樣。

2. 下弦月尚未出來，星光下隱約的現出來羊腸小路。這是他兩日來走熟的路。他走到那個他常坐的磐石邊，不管石上多涼，頹然坐下，有很長一陣，他的心象亂麻一樣，忽然想到他的妻子、女兒和許多沒有下落的將士身上。

▌ 一個人的歷史

姚雪垠（西元1910年-西元1999年），原名姚冠三，字漢英，曾用筆名雪痕、雪、沉思、姚東白等，河南省鄧州市人，中國當代著名作家。曾擔任第五、六、七屆全國政協委員及湖北省文聯主席、全國文聯委員、中國作家協會理事、中國對外友協理事等職務。設立了「姚雪垠長篇歷史小說獎」。

▌ 一點賞析的建議

《李自成》中作者對所要描寫的一切，大至轟轟烈烈的戰爭，小至打拳賣藥，均做過細緻深入的研究，寫來準確生動，搖曳多姿。想要瞭解明末清初那段複雜動盪的歷史，《李自成》是不應錯過的作品。雖然歷史小說並不能代表歷史的真實，但它卻比正史更生動形象地表現了歷史事件的原委始末和歷史人物的悲壯豪情。

《紅日》
（1957）吳強

▌ 一句話點評

壯志從戎筆來投。文章倚馬願償酬。萬言一卷成名著，《紅日》光輝照九州。

——施南池

▌ 一口氣速讀

吳強的長篇小說《紅日》以一九四七年山東戰場的漣水、萊蕪、孟良崮三個連貫的戰役作為情節的發展主線，體現出作者對現實戰爭小說的「史詩性」的藝術追求，描寫的詳略得當，各有側重，在敘述歷史事件的過程中，體現了其在小說結構上的別出心裁。

一九四六年深秋，國民黨七十四師開始向解放區進攻，華東解放軍沈振新所部一個軍奮起抗擊，經過苦戰，被迫撤退，實施戰略轉移。漣水戰役失敗後他渴望有朝一日能與七十四師再度交手，一決雌雄。

沈振新帶領部隊進入山東北部，經過一段時間的整訓，部隊戰鬥情緒重又進入昂揚奮發的狀態。這時，蔣介石也下定了最後的決心，發動了全國攻勢。我軍戰略反攻的目標首先確定在對以萊蕪為中心的

國民黨軍隊的包圍上。沈振新奉命率部參戰，與友鄰部隊一起完成了對敵李仙洲部五萬餘人的包圍。

萊蕪戰役打響了，敵我雙方一度處於僵持狀態。在這關鍵時刻，沈振新根據華東野戰軍司令員陳毅的指示，把「老虎團」調往前沿，組成一支突擊隊，插入敵人的心腹地區。「老虎團」衝破最後防線，攻佔敵軍師指揮所。最終，萊蕪戰役在不到三天時間內就取得了勝利，從而瓦解了國民黨軍隊對我軍的進逼圍攻。

蔣介石為了在華東戰場上挽回敗局，企圖以山東為核心擺成龜形陣勢，在孟良崮一帶與華東野戰軍進行決站。孟良崮戰役開始後，在副軍長梁波直接指揮下的「老虎團」殲滅了七十四師一個輜重連，又搶佔了垜莊與孟良崮之間的一個重要高地，堵住了敵人逃生的最後一個缺口，勸降了敵人的一個師，於是敵方對圍攻的解放軍陣地狂轟濫炸，以圖報復。

戰鬥進入了白熱化階段。我軍佔據了有利地形對付前來增援的敵人，並直搗敵人的指揮機關。戰鬥進入到最後階段，孟良崮山頭的敵人還在作垂死掙扎。經過兩個多小時的激戰，國民黨王牌七十四師終於全軍覆沒，我軍奪取了孟良崮戰役的最後勝利，將勝利的旗幟插上了孟良崮的主峰。

▌ 一段傑出的篇章

戰爭降臨到這個和平生活的地方。

在一周以前攻到漣水城下被殺退的蔣介石匪軍整編第七十四師，開始了第二次倡狂進攻。

這第二次進攻，十分猛烈，敵人施展了他們的全力。十架、二十架以至三十架一批一批的飛機，從黎明到黃昏，不停地在漣水城和它的四周的上空盤旋、轟鳴。炸彈成串地朝田野裡、房屋集中的所在和樹林裡投擲，一個煙柱接著一個煙柱，從地面上騰起，卷挾著泥土，揚到半空。大炮的轟擊，比飛機的轟炸還要猛烈。有時候，炮彈像雷暴雨般地傾瀉下來。房屋、樹木、花草，大地上的一切，都在發著顫抖。

——《紅日》

■ 一分鐘感悟

1. 這是深秋初冬的時節。高粱、玉米、黃豆已經收割完了，枯黑的山芋藤子，拖延在田裡，像是一條條長辮子。

2. 飛機飛得實在太低，翅膀幾乎擦上了白楊樹梢，戰士張華峰覺得它過於張牙舞爪，欺人太甚。

■ 一個人的歷史

　　吳強（西元1910年-西元1990年）原名汪大同，江蘇漣水縣高溝鎮人。一九三三年在上海參加左翼作家聯盟，抗戰爆發後投筆從戎。解放戰爭期間參加萊蕪、淮海等著名戰役。解放後曾任上海市文聯副主席、中國作協上海分會副主席，上海小說家聯誼會會長等職。著有長篇小說《紅日》、〈堡壘〉等。

■ 一點賞析的建議

　　《紅日》的作者本人就是這場戰爭的參加者，所以戰爭場面描寫

真實，生活細節描寫生動。正是這個鮮明的特色，殘酷的戰爭小說，讀者閱讀起來感到很輕鬆很親切。

《青春之歌》
（1958） 楊沫

▌ 一句話點評

《青春之歌》是一部有一定教育意義的優秀作品，林道靜是一個富於反抗精神，追求真理的女性。

——茅盾

▌ 一口氣速讀

《青春之歌》是楊沫的第一部長篇小說，是當代文學史上第一部描寫在中國共產黨領導下的愛國學生運動及革命知識分子鬥爭生活的優秀小說。小說寫了一個「小資產階級知識分子」林道靜如何走上革命道路，並成為無產階級戰士的曲折過程。

林道靜為了尋找個人出路，逃避為男人當「玩物」和「花瓶」的命運，踏上流亡之路。她逃離家庭，到北戴河附近的楊家村小學投親不遇，做了代課教師。然而，校長余敬唐卻陰謀地把她嫁給當地的權貴，走投無路之下她投海自盡，被北大學生余永澤搭救。

余永澤喚醒了林道靜對生活的熱情，在余永澤愛情的感動下，她答應和他共建愛巢，但她不甘心被人供養，先是尋找工作受挫，後接觸到北大的愛國學生，思想上受到觸動。當遇到共產黨人盧嘉川之

後，她開始接觸到革命思想。余永澤一再攔阻她參加革命活動，並導致盧嘉川被捕。林道靜在慘痛的事實面前如夢方醒，決心離開庸俗自私而平庸的余永澤，投身到抗日救亡的洪流中去。

林道靜忘我地參加各種革命活動，不幸被胡夢安的鷹犬綁架。胡逼林道靜嫁給她，遭到嚴詞拒絕。同學王曉燕等幫她逃出了虎口。她來到定縣當了小學教員，遇見了共產黨員江華。林道靜受派回到北平，來北大做學生工作。不久，林道靜即被捕入獄。在共產黨員林紅的幫助教育下，她經受了火的考驗。一年後，她被同學王曉燕的父親王教授保釋出獄。根據她的英勇表現，黨組織決定吸收她入黨。

入黨後，林道靜被安排在黨的機關工作，政治上更加成熟，當她得到盧嘉川犧牲的消息，內心燃起了熾烈的復仇烈火！此時，江華也被派回北平，他代表黨組織宣佈了戴愉的死刑。在共同的鬥爭中，林道靜與江華結下了真摯的友誼與愛情。一個晚上，江華向道靜大膽地剖白了自己的心跡，兩顆心終於幸福地結合了。古老的中華大地，迴蕩著這代青年用鮮血和生命譜寫的青春之歌……

■ 一段傑出的篇章

道靜拼著肺腑裡的力氣，微弱地說道：

「我還活著嗎？你是……」

那個女人一見道靜能夠講話了，且不答應她，卻沖著窗外用力喊道：

「來人！來人啊！這屋裡受傷的人醒過來啦！」她沖著窗外喊罷了，這才回過頭來對道靜帶著鼓動的熱情低聲說，「叫他們來給你治

療——我們要爭取活下去！」

道靜目不轉睛地凝視著那張蒼白熱情的臉。這時，她才看出，這是個非常美麗的女人。年紀約摸二十六七歲。她的臉色蒼白而帶光澤，彷彿大理石似的；一雙眼睛又黑又大。在黯淡的囚房中，寶石似的閃著晶瑩的光。

「希臘女神……」一霎間，道靜的腦子裡竟閃過這個與現實非常不調和的字眼。她衰弱、疼痛得動也不能動，只能勉強對這個同室難友輕輕地說：「謝謝！不要治啦——反正活不了啦……」

——《青春之歌》

■ 一分鐘感悟

1. 人在痛苦的時候，是最容易回憶往事的。

2. 迷人的愛情幻成的絢麗虹彩，隨著時間漸漸褪去了它美麗的顏色。林道靜和余永澤兩個年輕人都慢慢地被現實的鞭子從幻覺中抽醒過來了。

■ 一個人的歷史

楊沫（西元1914年-西元1995年），原名楊成業，筆名楊君默、楊默，湖南湘陰人，生於北平。二十世紀三〇年代楊沫投身革命，成為中共黨員。《青春之歌》是她的半自傳體小說，當中有她生活的影子。她早期寫有小說和散文，戰爭中大都遺失，戰後有中篇小說〈葦塘紀事〉。繼《青春之歌》之後，還寫有長篇小說〈芳菲之歌〉、〈英華之歌〉等。

▍ 一點賞析的建議

《青春之歌》是楊沫以親身經歷為素材創作的半自傳體小說。全書以二十世紀三〇年代日本侵華過程中發生的「九·一八事變」到「一二·九運動」的愛國學生運動為背景，通過女主人公林道靜的成長故事，構築了革命歷史的經典敘事，也揭示出知識分子道路的歷史必然性。

讀者在閱讀《青春之歌》的時候，要把握《青春之歌》是知識女性林道靜的成長小說，也是中國革命歷史的經典敘事；《青春之歌》對人物心理和情感抉擇的細膩描畫。

《漢魏六朝詩選》

（1979年） 余冠英

■ **一句話點評**

待人誠懇寬厚，詩歌選本被公認為最高水準的選本。

——杲文川

■ **一口氣速讀**

漢魏六朝是中國古代詩歌逐漸成熟的重要時期，這一段時間既有採自民間的樂府詩，也有文人創作的五言、七言詩；既有南方清麗婉約的詩歌，也有北方的鏗鏘之聲。《漢魏六朝詩選》選錄詩約三百首，分為九部分：漢詩，選錄了古詩十九首和蘇李的送別詩，以及漢樂府歌辭中的民歌；魏詩，著重點在三曹詩和阮籍的詩；晉詩，側重左思和陶淵明的詩；宋詩，以謝靈運和鮑照的詩為重點；齊詩，重在謝朓的詩；梁詩、陳詩、北朝詩、隋詩，重點選錄了北朝民歌和庾信的詩。

《漢魏六朝詩選》全面的反映了當時各個朝代各詩人的不同風格和內容。余冠英突出了各時期的風格和代表作家，詳加注釋，是讀者瞭解漢魏六朝詩歌最佳資料。

▌ 一段傑出的篇章

東臨碣石，以觀滄海。

水何澹澹，山島竦峙。

樹木叢生，百草豐茂。

秋風蕭瑟，洪波湧起。

日月之行，若出其中；

星漢燦爛，若出其裡。

幸甚至哉，歌以詠志。

　　　　　　——《漢魏六朝詩選·曹操·觀滄海》

大江流日夜，客心悲未央。徒念關山近，終知返路長。秋河曙耿耿，寒渚夜蒼蒼。引領見京室，宮雉正相望。金波麗鳷鵲，玉繩低建章。驅車鼎門外，思見昭丘陽。馳暉不可接，何況隔兩鄉。風雲有鳥路，江漢限無梁。常恐鷹隼擊，時菊委嚴霜。寄言罻羅者，寥廓已高翔。

　　　　——《漢魏六朝詩選·謝脁·暫使下都夜發新林至京邑贈西府同僚》

▌ 一分鐘感悟

1. 東飛伯勞西飛燕，黃姑織女時相見。誰家女兒對門居，開顏發豔照里閭。

2. 生平少年日，分手易前期。及爾同衰暮，非復別離時。勿言一樽酒，明日難重持。夢中不識路，何以慰相思。

▌ 一個人的歷史

余冠英（西元1906年-西元1995年），江蘇揚州人，中國古典文學專家。余冠英一九三一年畢業於清華大學，後在清華大學、西南聯大等校任教。由他主持編寫的《中國文學史》是古典文學研究領域中的重要成果，經他主持編選的《唐詩選》，為公認的唐詩最佳選本之一。

▌ 一點賞析的建議

《漢魏六朝詩選》是一本非常好的詩選普及讀物，所選詩歌或清新自然，或雄渾壯麗，沒有辭藻雜陳的習氣，從中可以明顯看出這時期的詩歌和唐代舊體詩的聯繫，在閱讀時要有側重點的品讀。

《創業史》
（1959） 柳青

▌ 一句話點評

　　也許從作家的主觀上說，《創業史》中的梁三老漢並不是他所要著力刻畫的人物，實際上，由於這一形象凝聚了作家豐富的農村生活經驗，鎔鑄了作家的幽默和詼諧，因而才成為全書中一個最具有深度的人物。

——嚴家炎

▌ 一口氣速讀

　　《創業史》（第一部）在一九五九年問世，先在刊物上連載，一九六〇年單行本出版。《創業史》原計劃寫四部，十年動亂被迫中斷寫作。「文革」結束後，他在病床上改定了第二部上卷和下卷的前四章，但全書的寫作計劃未能如願完成，即病故。

　　《創業史》小說以梁生寶互助組的發展為線索，表現了中國農業社會主義改造進程中的歷史風貌和農民思想情感的轉變。這部巨著蘊藏著作者柳青十四年農村生活的豐厚累積。第一部寫互助組階段；第二部寫農業生產合作社的成立和鞏固。它們既是互相聯繫的，又是各自獨立的。

一九二九年，陝北大旱，哀鴻遍野，災民黑壓壓地湧向渭河灘。下堡村蛤蟆灘的光棍梁三，大步流星地在女性災民群中穿行。梁三年過四十，妻子新喪，大家當然明白他的企圖。果不其然，梁三將寶娃母子二人領進了他的草房院。他撫摸著寶娃的頭，發出了再創家業的豪壯誓言。寶娃從此改姓梁，叫梁生寶。

　　可是，創業艱難，梁三苦苦勞動十年，得到的只是失敗和屈辱。創業的擔子落到了生寶的肩上。解放了，蛤蟆灘發生了天翻地覆的變化。大地主呂二細鬼、富農姚士傑都被鬥倒了，貧雇農土地還家，梁家分到了十來畝稻地。而此時當了民兵隊長、入了黨的梁生寶，完全沉浸到建立互助組的事務裡去。

　　一九五三年春天的一個早晨，鞭炮聲響徹了哈蟆灘，富裕中農郭世富的新瓦房上樑了。村民們都來看熱鬧，梁三老漢更是豔羨十分。他哪裡知道，世富老大要和生寶的互助組對著幹呢！此時，春荒籠罩著蛤蟆灘。這是互助組和整個蛤蟆灘最困難的時刻。

　　秋天，梁生寶的互助組獲得了大豐收，蛤蟆灘的統購統銷工作也提前完成。生寶的威望不斷提高，互助組更加壯大，退組的又回來了。郭振山的所作所為使他威信掃地。為了恢復威信，他積極整頓他所在的官渠岸互助組。

　　經過縣裡的培訓，梁生寶帶領他們又成立了全區第一個農業社──燈塔社。梁生寶的創業成功了！在鐵的事實面前，梁三老漢服氣了。他穿上了新棉衣到黃堡鎮去打油，受到人們格外的尊重。他流淚了。這是幸福的淚，歡悅的淚！它飽含著蛤蟆灘人創業的自豪與艱辛。

▋ 一段傑出的篇章

這時間，車站小街兩邊的店鋪，已經點起了燈火，掛在門口的馬燈照到泥濘的土街上來了。土街兩頭，就像在房基後邊似的，渭河春汛的嗚咽聲，在人們不知不覺中，增高起來了。聽著像是漲水，其實是夜靜了。在春汛期間，郭縣北關渭河的渡口，暫時取消了每天晚班火車到站後的最後一次擺渡，這次車下來的旅客，不得不在車站旅館宿夜。現在全部旅客，聽了招待客人的旅館夥計介紹了這個情況，都陸陸續續進了這個旅館或那個旅館了。小街上，霎時間，空寂無人。只有他——一個年輕莊稼人，頭上頂著一條麻袋，背上披著一條麻袋，一隻胳膊抱著用麻袋包著的被窩卷兒，黑幢幢地站在街邊靠牆搭的一個破席棚底下。

你為什麼不進旅館去呢？難道所有的旅館都客滿了嗎？

不！從渭河下游坐了幾百里火車，來到這裡買稻種的梁生寶，現在碰到一個小小的難題。蛤蟆灘的小夥子問過幾家旅館，住一宿都要幾角錢——有的要五角，有的要四角，睡大炕也要兩角。他捨不得花這兩角錢！他從湯河上的家鄉起身的時候，根本沒預備住客店的錢。他想，走到哪裡黑了，隨便什麼地方不能滾一夜呢？沒想到天時地勢，就把他擱在這個車站上了。他站在破席棚底下，並不十分著急地思量著：

「把它的！這到哪裡過一夜呢？……」

——《創業史》

▋ 一分鐘感悟

1.人生的道路雖然漫長，但緊要處常常只有幾步，特別是當人年

輕的時候。

2. 也許是過分的興奮，也許是異鄉的情調，這個遠離家鄉的莊稼人，睡不著覺。票房的玻璃門窗外頭，是風聲，是雨聲，是渭河的流水聲。

▌ 一個人的歷史

柳青（西元1916年-西元1978年），原名劉蘊華，陝西吳堡縣人，當代著名小說家。他早年從事革命活動，抗戰勝利後，任大連大眾書店主編。解放初期，任《中國青年報》編委、副刊主編。一九五二年任陝西省長安縣副書記，並在長安縣皇甫村落戶達十四年。「文革」期間，遭受殘酷迫害，被迫停止工作。他幾十年如一日生活在農民中間，有著豐厚的生活累積。他的小說大都以農村生活為題材，代表作《創業史》。

▌ 一點賞析的建議

《創業史》反映建國後農村合作化運動的情形，小說以梁生寶的活動為主線，在對農村不同階層人物行為、心理的細緻描畫中，表現了二十世紀五〇年代初期農村複雜的人物類型和不同利益的對抗，歌頌了蓬勃生長的社會主義新生力量。讀者在閱讀時，要把握《創業史》真實地描繪了中國農村的現實圖景；《創業史》塑造了不同年代裡為創業而掙扎奮鬥著的農民形象——梁生寶和梁三老漢。

《幾度夕陽紅》
（1964） 瓊瑤

▌一句話點評

可以考慮編一個電腦程序來自動地生產瓊瑤那樣的作品。

——白先勇

▌一口氣速讀

《幾度夕陽紅》描寫了嘉陵江畔的一對有情人，衝破重重陰力，傾心相戀，但因種種緣由，使兩人苦心經營的宮殿化為幻影。故事美麗而蒼良，反映了臺灣現代青年的戀愛觀，歌頌了民族寬容，向上進取的品質。

抗戰時期，夢竹、明遠、孝城讀藝專，慕天讀中大，夢竹和慕天兩人深深相愛。夢竹因早有婚約，被母親軟禁不許與慕天往來，夢竹在奶媽幫助下逃出家門與慕天訂婚，但不知慕天早有妻子。慕天回昆明後提出離婚遭到家庭的強烈反對。夢竹發現有了身孕，去找慕天，卻被慕天的妻子妻轟了出來。

明遠一直愛著夢竹，此時向夢竹求婚，當慕天終與妻離婚回到重慶時，夢竹已嫁給了明遠。孝城告訴慕天，夢竹曾去昆明找他，慕天才知真相。

時隔多年，孝城巧遇明遠、夢竹夫婦，孝城的已負盛名，使明遠自慚形穢。明遠因不得志而心態不平衡，常藉故向夢竹發洩，夢竹都容忍了。孝城告訴夢竹慕天也在臺北令他們夫婦非常震驚。女兒曉彤帶男友如峰見父母，當夢竹夫婦知道慕天是如峰的叔叔時，堅決反對二人來往。慕天知道霜霜深愛如峰，因嫉妒曉彤而行為乖張，為了洩憤竟結交了曉彤的弟弟曉白，兩人經常曠課玩耍。慕天發現曉彤是夢竹之女時，激動萬分，孝城告訴曉彤是其親生女兒時，更令他驚訝。

　　誤會終於冰釋，但回首已晚。夢竹答應曉彤與如鋒往來，明遠不能諒解，與夢竹爆發激烈衝突，並將夢竹趕出家門，慕天熱烈追求夢竹，夢竹內心充滿矛盾。明遠失去夢竹異常痛苦，在遺書中表達了對夢竹的無限的情意，夢竹大為感動，決心回到明遠身邊。

　　霜霜妒恨曉彤奪去如鋒，氣憤慕天對曉彤的關愛，她告訴曉白自己愛的是如峰，曉白十分憤怒誤殺如鋒入獄。如峰生命垂危但終渡過難關。霜霜和曉白也在慘痛的教訓中翻然悔悟。

▌一段傑出的篇章

　　夢竹提著一個旅行袋，帶著滿面的倦容，在寒風瑟瑟中來到昆明。按著何慕天留給她的住址，她不費力的找到了那幢庭院深深的大宅，停在大門外面，她伸了伸頭，高高的圍牆，看不到裡面，只有一棵老榆樹，伸出了落盡葉子的枯枝。靠在門邊，她休息了一兩分鐘，心頭有如萬馬奔馳，各種念頭紛至沓來。一路上，帶著股狂熱和勇氣，千辛萬苦的尋到昆明，日日夜夜，腦子裡只有一個單純的念頭，找到何慕天！在這個念頭下，多少的苦都挨過了，多少的罪都受過

了！塵埃漫天的公路，顛簸的木房汽車，小客棧裡無眠的夜，嘔吐，暈眩，一一忍受，只求見到何慕天！而現在她已停在何慕天的門外，與何慕天只有一牆之隔，幾分鐘之後，可能就要面對面了。她反而沒有勇氣打門，反而滿腹猶豫和不安。倚在門邊的柱子上，她呆呆的望著那兩扇黑漆大門。

——《幾度夕陽紅》

▋ 一分鐘感悟

1. 一個人怎樣能彌補以前的錯誤呢？當你年輕時不慎做錯一件事，你就必須用你這一生來做代價嗎？

2. 人，在年輕的時候，總喜歡把許多的不幸歸之於命運。年紀大了，經過一番冷靜的思考，就會發現命運常把握在自己的手裡，而由於疏忽，猶豫……種種的因素，而使命運整個改變！

▋ 一個人的歷史

瓊瑤（西元1938年-至今），原名陳喆，湖南省街陽人，當代著名的言情小說作家。瓊瑤出身於書香門第。九歲時即於上海《大公報》兒童版發表第一篇小說〈可憐的小青〉。一九四九年隨父母去臺灣。高考兩試落榜之後，開始「專業寫作」生活。一九六三年，她的第一部長篇小說《窗外》在《皇冠》雜誌上連載，一鳴驚人。著有《窗外》、《幾度夕陽紅》、《在水一方》、《燃燒吧，火鳥》等四十五部長篇小說，中短篇小說集《六個夢》、《潮聲》、《聿運草夕》、《白狐》、《水靈》，散文集《剪不斷的鄉愁》，自傳《我的故事》。

▌ 一點賞析的建議

　　瓊瑤喜歡中國的古代文化，寫書常借鑒詩詞的形式和意境，常常不露痕跡地把中國「根」的東西，借現代語言傳達出來。《幾度夕陽紅》的書名，便來源於羅貫中的《三國演義》卷頭詞。在小說裡，更有許多瓊瑤自己創作的詩，如在沙坪壩的聚會和遊戲中。在瓊瑤的這部小說中，常可以看出她自己真實的故事和現實的生活場景。小說巧妙地以一種「說故事」的結構來進行，採用一些插敘、倒敘的表現手法。

《毛澤東詩詞》
（1923-1965） 毛澤東

▌ 一句話點評

毛澤東詩詞極為生動形象地體現了作者本人「古為今用」、「洋為中用」的思想。簡而言之，他的詩詞是「馬克思主義中國化」的例證。

——德國學者卜松山

▌ 一口氣速讀

毛澤東的詩詞迄今為止，已公開發表了六十八首。他的詩詞概括了中國半個世紀的革命歲月，蘊含著深刻的思想內容。

毛澤東的詩詞於雄渾豪放之間，自有一股扭轉乾坤之勢。他以這一鮮明的藝術個性，領一代革命詩詞之風騷。毛澤東詩詞將歷史、現實、理想的內容超時空地融匯在一起，組合成一個完整的新境界。這些興之所至、典雅宏闊的古體詩詞，記取了詩人近半個世紀風雨征程的思緒與情懷。從詠物、抒懷、感事到唱和，從千里冰封的北國雪原、橫空出世的莽崑崙，到「逝者如斯夫」的流水，如畫的風物景色，如煙的故人往事，與家國大業的志向，化入詩人筆下，幻生出各種神采飛揚的形象和融情入景、情理相映的高遠意境。

毛澤東詩詞思想博大精深，雄渾豪邁，氣勢宏偉，堪稱當代豪放詩風的代表，也是用舊體形式反映新時代生活的光輝典範。寫歷史時，詩人著眼於現實，讓歷史成為時代的開端；寫現實時，詩人揭示未來的理想境界；寫理想，詩人又將它置於現實的基礎之上，並將神話、想像等極富浪漫主義色彩的內容附於豐富的現實內容。毛澤東的詩詞是他提倡的革命現實主義和革命浪漫主義相結合的創作方法親自實踐的碩果。

▌一段傑出的篇章

北國風光，千里冰封，萬里雪飄。望長城內外，惟餘莽莽；大河上下，頓失滔滔。山舞銀蛇，原馳蠟象，欲與天公試比高。須晴日，看紅妝素裹，分外妖嬈。

江山如此多嬌，引無數英雄競折腰。惜秦皇漢武，略輸文采；唐宗宋祖，稍遜風騷。一代天驕，成吉思汗，只識彎弓射大雕。俱往矣，數風流人物，還看今朝。

—— 〈沁園春・雪〉

▌一分鐘感悟

1. 踏遍青山人未老，風景這邊獨好。
2. 天若有情天亦老，人間正道是滄桑。
3. 一年一度秋風勁，不似春光，勝似春光。

▌一個人的歷史

毛澤東（西元1893年-西元1976年），字潤之，筆名子任，湖南湘

潭人。中國革命家、戰略家、理論家和詩人，中國共產黨、中國人民解放軍和中華人民共和國的主要締造者和領導者，毛澤東思想的主要創立者。從一九四九年到一九七六年，毛澤東是中華人民共和國的最高領導人。他對馬克思列寧主義的發展、軍事理論的貢獻以及對共產黨的理論貢獻被稱為毛澤東思想。毛澤東被視為現代世界歷史中最重要的人物之一，《時代》雜誌將他評為二十世紀最具影響的一百人之一。

▌ 一點賞析的建議

　　毛澤東的詩詞創作指點江山、氣象宏闊，思想性與藝術性融為一體，成為一部無產階級革命的壯美史詩。在閱讀毛澤東的詩詞的時候，要把握毛澤東古體詩詞的壯闊意境與革命浪漫主義的氣息；毛澤東在文藝創作上主張「推陳出新」、「古為今用」的觀念。

《傅雷家書》
（1954-1966） 傅雷

■ 一句話點評

在二十世紀的中國文壇上，傅雷的名字是特別引人注目的。作為翻譯家，他向國人譯介的羅曼‧羅蘭的《約翰‧克利斯朵夫》曾深深影響了不止一代人，他翻譯的巴爾扎克的作品，也被譽為「信達雅」的完美楷模。

——陳子善

■ 一口氣速讀

《傅雷家書》是一本「充滿著父愛的苦心孤詣、嘔心瀝血的教子篇，是最好的藝術學徒的修養讀物」。書中字裡行間，充滿了父親對兒子的摯愛、期望，以及對國家和世界的高尚情感。

愛子之情本是人之常情，而傅雷對傅聰和傅敏的愛卻沒有成為那種普通的溫情脈脈，而是始終把道德與藝術放在第一位，把舐犢之情放在第二位。正如他對傅聰童年嚴格的管教，雖然不為常人所認同，但確乎出自他對兒子更為深沉的愛。

傅雷說，他給兒子寫的信有好幾種作用：一是討論藝術；二是激發青年人的感想；三是訓練傅聰的文筆和思想；四是做一面忠實的

「鏡子」。信中的內容，除了生活瑣事之外，更多的是談論藝術與人生，灌輸一個藝術家應有的高尚情操，讓兒子知道「國家的榮辱、藝術的尊嚴」，做一個「德才俱備，人格卓越的藝術家」。

該書由於是父親寫給兒子的家書，是寫在紙上的家常話，因此如山間潺潺清泉，碧空中舒卷的白雲，感情純真、質樸，令人動容。

▌ 一段傑出的篇章

赤子之心這句話，我也一直記住的。赤子便是不知道孤獨的。赤子孤獨了，會創造一個世界，創造許多心靈的朋友！永遠保持赤子之心，到老也不會落伍，永遠能夠與普天下的赤子之心相接相契相抱！你那位朋友說得不錯，藝術表現的動人，一定是從心靈的純潔而來的！不是純潔到像明鏡一般，怎能體會到前人的心靈？怎能打動聽眾的心靈？

音樂院長說你的演奏像流水、像河；更令我想到克利斯朵夫的象徵。大舅舅說你小時候常以克利斯朵夫自命；而你的個性居然和羅曼‧羅蘭的理想有些相像了。萊茵河，江聲浩蕩……鐘聲復起，天已黎明……中國正到了「復旦」的黎明時期，但願做中國的——新中國的鐘聲，響遍世界，響遍每個人的心！滔滔不竭的流水，流到每個人的心坎裡去，把大家都帶著，一塊到無邊無岸的音響的海洋中去吧！名聞世界的揚子江與黃河，比萊茵河的氣勢還要大呢！……黃河之水天上來，東流到海不復回！……無邊落木蕭蕭下，不盡長江滾滾來！……有這種詩人靈魂的傳統的民族，應該有氣吞牛斗的表現才對！

——《傅雷家書》

▋ 一分鐘感悟

1. 一個人空有愛同胞的熱情是沒有用的，必須用事實來使別人受到我的實質幫助，這才是真正的道德實踐。

2. 辛酸的眼淚是培養你心靈的酒漿。不經歷尖銳的痛苦的人，不會有深厚博大的同情心。

3. 真實是需要很大的勇氣作後盾的。所以藝術家先要學做人。

▋ 一個人的歷史

傅雷（西元1908年-西元1966年），中國著名的翻譯家、文藝評論家，曾翻譯過巴爾扎克的《高老頭》、《歐也妮·葛朗臺》及羅曼·羅蘭的《約翰·克利斯朵夫》等多部作品，是中國文化界公認的第一流的翻譯家。一九六六年在「文革」中不堪凌辱，他與夫人朱梅馥雙雙自殺。傅雷寫給兒子傅聰、傅敏的書信共一百二十七封（其中3封給傅敏，其餘都是寫給傅聰的）。在二十世紀八〇年代初結集為一冊《傅雷家書》。

▋ 一點賞析的建議

傅雷藝術造詣極為深厚，對古今中外的文學、繪畫、音樂的各個領域都有極淵博的知識和獨到的看法，這些他在信中時有精彩的發揮。所以讀這些信，決不會使人感到乏味，浪漫的藝術家的氣質使它們像精美的散文，其發人深省處不亞於專業的藝術論文，娓娓道來，深情而深刻。讀了《傅雷家書》，不禁令人生如此感慨：原來「愛」加上「智慧」，可以使極普通的家信也能如此流光溢彩的。「開卷有益」這句話，用來形容此書是很精當的。

《笑傲江湖》
（1967） 金庸

▋ 一句話點評

金庸以他一個人的功力，就讓武俠小說進入了千家萬戶的生活。

——孔慶東

▋ 一口氣速讀

《笑傲江湖》是金庸一九六七年寫的一部武俠小說，屬於其後期作品，其敘事狀物，已達到了爐火純青、出神入化的境界。《笑傲江湖》的中心是武林爭霸奪權，為了達到目的，奪取《辟邪劍譜》和《葵花寶典》，最後兩派都敗在《辟邪劍譜》和《葵花寶典》上。《笑傲江湖》不僅靠跌宕起伏、波譎雲詭的情節引人入勝，更能於錯綜複雜的矛盾衝突中刻畫人物性格，塑造出數十個個性鮮明、生動可感的文學形象。作品所高揚俠義、仁愛、富貴不淫、威武不屈的高尚精神對今人仍有強烈的感召力。

《笑傲江湖》描寫了因為家傳的「辟邪劍譜」，林震南一家死於非命，只有兒子林平之得以逃脫。嵩山派左冷禪想吞併五嶽劍派，殺了衡山派劉正風和魔教長老曲洋。兩人臨死前，把《笑傲江湖》曲譜傳給了華山派大弟子令狐沖。令狐沖因違反門規，被罰在華山之巔面

壁思過，得華山派前輩風清揚傳授獨孤九劍。下山後受內傷，並被自小愛慕的師妹岳靈珊疏遠，外出散心時，和魔教聖姑任盈盈相識。盈盈捨身入少林寺換取易筋經挽救令狐沖的生命。向問天借令狐沖偷換出被東方不敗囚禁的魔教前教主任我行，令狐沖無意學會了吸星大法並自治內傷。衡山派掌門定逸被華山派掌門岳不群殺死，定逸臨終委令狐沖為全是尼姑的衡山派掌門人。魔教教主東方不敗煉成葵花寶典武功。令狐沖幫助任盈盈、任我行將東方不敗殺死。岳不群與林平之具引刀自宮並煉成「辟邪劍譜」武功，岳靈珊與林平之成婚卻被林平之殺死。岳不群用盡權謀奪五嶽派掌們位並欲平魔教卻被令狐沖制服並被衡山派群尼殺死。令狐沖與任盈盈兩人合奏《笑傲江湖》，結為伉儷。

■ 一段傑出的篇章

令狐沖聽他說於當世高人之中，佩服三個半，不佩服三個半，甚是好奇，亟盼知道他所指的，除了方證之外更有何人。只聽一個聲音洪亮之人問道：「任先生你還佩服哪幾位？」適才方證只替任我行等引見到岳不群夫婦，雙方便即爭辯不休，餘人一直不及引見。令狐沖聽下面呼吸之聲，方證等一行共有十人，除了方證大師、師父、師娘、沖虛道長、左冷禪、天門道長、余滄海，此外尚有三人。這聲音洪亮之人，便不知是誰。任我行笑道：「抱歉得很，閣下不在其內，」那人道：「在下如何敢與方證大師比肩？自然是任先生所不佩服了。」任我行道：「我不佩服的三個半人之中，你也不在其內？你再練三十年功夫，或許會讓我不佩服一下。」那人嘿然不語。令狐沖心道：「原來要叫你不佩服，卻也不易。」方證道：「任先生所言，倒是頗

為新穎。」任我行道：「大和尚，你想不想知道我佩服的是誰，不佩服的又是誰？」方證道：「正要恭聆施主的高論。」任我行道：「大和尚，你精研易筋經，內功已臻化境，但心地慈祥，為人謙退，不像老夫這樣囂張，那是我向來佩服的。」方證道：「不敢當。」任我行道：「不過在我所佩服的人中，大和尚的排名還不是第一。我所佩服的當世第一位武林人物，是篡了我日月神教教主之位的東方不敗。」

——《笑傲江湖》

▌一分鐘感悟

1. 強中更有強中手，能人之上有能人。

2. 大家在江湖上行走，多一個朋友不多，少一個冤家不少。

3. 瓦罐不離井上破，將軍難免陣上亡。可是當局者迷，這「急流勇退」四個字，卻又談何容易？

▌一個人的歷史

作者金庸（西元1924年-至今），原名查良鏞，浙江海寧人。華人最知名的武俠小說作家、企業家、政治評論家和社會活動家，香港明報創辦人，中國作家協會名譽副主席，《中華人民共和國香港特別行政區基本法》主要起草人之一，香港最高榮銜「大紫荊勳章」獲得者，並被稱為新派武俠小說世界的「盟主」。金庸與古龍、梁羽生並稱為中國武俠小說三大宗師。他著有「飛雪連天射白鹿，笑書神俠倚碧鴛」等十四部武俠小說。

▊ 一點賞析的建議

　　金庸洋洋灑灑一百零八萬字揮就了大作《笑傲江湖》，這部作品從發表之日起便引起文壇的極大轟動。究其原因，最根本在於作品內在的吸引力。曲折生動、險象環生的故事情節，宏大完整、變幻莫測的結構安排，個性突出、栩栩如生的人物形象，風趣空靈、耐人尋味的語言對話，活靈活現、惟妙惟肖的動作、肖像、心理描寫。尤其是蘊涵在作品中的深刻的思想主題和精神指向，使作品具有獨到的巨大的魅力。

《撒哈拉的故事》
（1976） 三毛

▌一句話點評

　　三毛創造了一個充滿傳奇色彩瑰麗的浪漫世界；裡面有大起大落生死相許的愛情故事，引人入勝不可思議的異國情調，非洲沙漠的馳騁，拉丁美洲原始森林的探幽──這些常人所不能及的人生經驗三毛是寫給年輕人看的，難怪三毛變成了海峽兩岸的青春偶像。

──白先勇

▌一口氣速讀

　　三毛作品中最膾炙人口當屬《撒哈拉的故事》，全書由十幾篇精彩動人的散文結合而成，書中三毛用自述的形式，講述了她和當地居民之間的曲折波瀾的關係，她在撒哈拉沙漠零碎的生活細節和人生經歷，記錄了她與丈夫荷西簡單而快樂的生活，以及沙漠中種種奇聞趣事和獨特的風土人情。

　　三毛用自己畢生所學幫助那些沙漠中的居民，開辦了課堂教他們讀書寫字，為他們治病施藥，她用指甲油為鄰居補牙，把下了蠱術的物品當成寶貝隨身攜帶，最後得了一場重病等等，這些生活經歷在她的筆下娓娓道來，讓人時而讓人感慨，時而欣喜，時而悲傷，時而無

奈，真是身臨其境，感同身受。她用彩色的畫筆描繪了那一串串令人啼笑皆非而又有趣的事情，以一種積極的心態描繪著一幅充滿浪漫和溫情的異域風情畫卷。其中〈沙漠中的飯店〉，是三毛適應荒涼單調的沙漠生活後，重新拾筆的第一篇文章，從此之後，三毛便寫出一系列以沙漠為背景的故事，傾倒了全世界的華文讀者。

▍一段傑出的篇章

這不知是一天裡的第幾次了，我從昏昏沉沉的睡夢中醒來，張開眼睛，屋內已經一片漆黑，街道上沒有人聲也沒有車聲，只聽見桌上的鬧鐘，像每一次醒來時一樣，清晰而漠然的走動著。

那麼，我是醒了，昨天發生的事情，終究不只是一聲噩夢。每一次的清醒，記憶就逼著我，像在奔流錯亂的鏡頭面前一般，再一次又一次的去重新經歷那場令我當時狂叫出來的慘劇。

我閉上了眼睛，巴西里、奧菲魯阿、沙伊達他們的臉孔，蕩漾著似笑非笑的表情，一波又一波的在我面前飄過。我跳了起來，開了燈，看看鏡子裡的自己，才一天的工夫，已經舌燥唇乾，雙眼發腫，憔悴不堪了。

打開臨街的木板窗，窗外的沙漠，竟像冰天雪地裡無人世界般的寒冷孤寂，突然看見這沒有預期的淒涼景致，我吃了一驚，癡癡的凝望著這渺渺茫茫的無情天地，忘了身在何處。

是的，總是死了，真是死了，無論是短短的幾日，長長的一生，哭、笑、愛、憎，夢裡夢外顛顛倒倒，竟都有它消失的一日。潔白如雪的沙地上，看不見死去的人影，就連夜晚的風都沒有送來他們的歎息。

——《撒哈拉的故事·哭泣的駱駝》

▌ 一分鐘感悟

1. 太陽像溶化的鐵漿一樣灑下來，我被曬得看見天地都在慢慢的旋轉。

2. 黃昏了，太陽正落下地平線，遼闊的沙漠被染成一片血色的紅。這時鼓聲響了起來，它的聲音響得很沉鬱，很單調，傳得很遠，如果不是事先知道是婚禮，這種神秘的節奏實在有些恐怖。我一面穿毛衣一面往罕地家走去，同時幻想著，我正跑進天方夜譚的美麗故事中去。

▌ 一個人的歷史

三毛，（西元1943年-西元1991年），原名陳懋平，幼年改名為陳平，三毛是後期的筆名，祖籍浙江省定海，出生於重慶，成長於南京、臺北，著名作家。七〇年代以其在撒哈拉沙漠的生活及見聞為背景，以幽默的文筆發表充滿異國風情的散文作品成名，其讀者遍佈全世界華人群體。

▌ 一點賞析的建議

《撒哈拉的故事》中三毛對於沙漠的渴望是內心洋溢而出的一種對生活超逸不俗的情趣，閱讀時要注意感受她與眾不同卻又自得其樂的生活，正如她自己所說：「生命的過程，無論是陽春白雪，青菜豆腐，我都得嘗嘗是什麼滋味。」

《寄小讀者》
（1923-1926） 冰心

　　冰心女士散文的清麗，文字的典雅，思想的純潔，在中國算是獨一無二的作家了。

——郁達夫

■ 一口氣速讀

　　《寄小讀者》，是冰心在一九二三年到一九二六年間寫給小讀者的通訊，共二十九篇，其中有二十一篇是她赴美留學期間寫成的，主要記述了海外的風光和奇聞異事，同時也抒發了她對祖國、對故鄉的熱愛和思念之情。《寄小讀者》可以說是中國近現代較早的兒童文學作品，冰心女士也因此成為中國兒童文學的奠基人。上世紀六十年代和七十年代，冰心又分別發表了通訊集《再寄小讀者》和《三寄小讀者》。

　　母愛是冰心作品中永不褪色的主題之一。在《寄小讀者》自序裡她說：「這書中的對象，是我摯愛恩慈的母親。她最初也是最後我所戀慕的一個人。」其次是謳歌自然。她陶醉於自然界的一切現象，所謂愛的宇宙裡的一切。尤其是對於偉大而浩淼的海，更特別令她沉

醉。海，在她看來，是有如此多的特色。她的心嚮往於溫暖的母親的懷抱，嚮往於偉大的詩人似的海，同時，也嚮往於天真爛漫的人類的童年。在她看來，在痛苦的人生的長途中間，只有童年是一生中的黃金時代。

《再寄小讀者》是一九五八年大躍進時期開始寫的。那些年她常常出國或在國內參觀訪問，就把在國內外的見聞，記下一些給小讀者們看，這裡多半也是些抒情寫景之作。

《三寄小讀者》是在「四人幫」被打倒，《兒童時代》復刊之後開始寫的，在撥亂反正時期，她又拿起筆來，把她自己所看到的想到的、有益於小朋友身心健康的事情，講給孩子們聽聽。此時作者雖然已是七八十歲的老人了，然而她的心依然年輕，她和小朋友談學習、談生活、談理想，推心置腹，親切而不造作，使人如坐春風。

▋ 一段傑出的篇章

小朋友，從我第一次開始給你們寫通訊算起，不止十年，乃是三十多年了。這三十多年之中，我們親愛的祖國，經過了多大的變遷！這變遷是翻天覆地的，從地獄翻上了天堂，而且一步一步地更要光明燦爛。我們都是幸福的！我總算趕上了這個時代，而最幸福的還是你們，有多少美好的日子等著你們來過，更有多少偉大的事業等著你們去作呵！我在枕上的心境，和這位詩人是迥不相同的！雖然也有滿窗的明月，而窗外吹拂的卻是和煦的東風。一會兒朝陽就要升起，祖國方圓九百多萬平方公里的土地上，將要有六億人民滿懷愉快和信心，開始著和平的勞動。小朋友們也許覺得這是日常生活，但是在

三十年前，這種的日常生活，是我所不能想像的！我鼻子裡有點發辣，眼睛裡有點發酸，但我絕不是難過。

——《在寄小讀者（通訊一）》

■ 一分鐘感悟

1. 只要人心中有了春氣，秋風是不會引人愁思的。

2. 世界上命運兩件事物，是完全相同的，同在你頭上的兩根絲髮，也不能一般長短。然而——請小朋友們和我同聲讚美！只有普天下的母親的愛，或隱或顯，或出或沒，不論你用斗量，用尺量，或是用心靈的度量衡來推測；我的母親對於我，你的母親對於你，她的和他的母親對於她和他；她們的愛是一般的長闊高深，分毫都不差減的。

■ 一個人的歷史

冰心（西元1900年-西元1999年），原名謝婉瑩，筆名冰心，福建長樂人，著名詩人、作家、翻譯家、兒童文學家。著有小說集《超人》、詩集《繁星》等。一九二三年赴美留學，專事文學研究。曾把旅途和異邦的見聞寫成散文寄回國內發表，結集為《寄小讀者》，舉世為之矚目，至今仍然聲譽不衰。

■ 一點賞析的建議

讀者在閱讀《寄小讀者》時應重點感受那意境的優美；讀《再寄小讀者》可去體會作者對新生活的欣喜和自豪；而《三寄小讀者》中作者對小朋友的那一份愛心、關心歷歷在目。

《受戒》
（1980） 汪曾祺

▋ 一句話點評

從純粹文學的意義上來看，新時期文學所迸發出來的洶湧澎湃、鋪天蓋地的文學大潮，新時期文學所生發出來的持續不斷的語言反省，都源自那「四十三年前的一個夢」，都源自那一次文學的《受戒》。

——李銳

▋ 一口氣速讀

《受戒》寫「四十三年前的一個夢」，寫少年時代無邪的歡樂與純美的夢境。在回憶性的孩童的視角中，找不到絲毫的陰暗和痛楚，人物天真質樸的笑容，清新散逸的村落與廟宇生活，是經歷艱難世事之後的情感回歸，也是作者的理想境界和生活態度。

《受戒》的內容包括和尚們的宗教生活和民間的世俗生活兩部分。

聰明漂亮的主人公明海，是從小就確定要出家的。他的家鄉出和尚，當和尚對當地人來說是一種謀生的職業。不僅出家的目的是世俗的，寺廟裡的生活方式也如此，充滿了塵世的氣氛。荸薺庵的小和尚

過著很清閒的日子，連早課、晚課也不做，只是敲幾聲磬，然後挑水、餵豬。在為數不多的幾個和尚中，大概只有一個老和尚最守規矩，他是吃齋的，但過年時也破戒。明子的舅舅仁山是「當家的」，掌管寺廟裡裡外外的俗務。二師父仁海是有老婆的，夫妻倆在廟裡過起了逍遙自在的小日子。三師父精明能幹，風流倜儻，能玩牌，會「飛鐃」，還長於唱山歌小調。這個廟裡無所謂清規，連這兩個字也沒有人提起。他們吃肉不瞞人，年下也殺豬。他們也舉行宗教儀式，可那歡快的場面更像是人生的舞蹈。

在對和尚們的生活習俗作了充分的鋪敘後，小說又以小英子家為中心，展開了明麗的田園式的水鄉世俗生活畫卷。這是一個自給自足的農業文明社會，人與環境自然和諧。小英子一家四口人，儘管性格不同，但都稟承了勞動人民的優秀品格。小英子明海青梅竹馬，兩小無猜。春去秋來，他們的心田裡漸漸長出了愛情的苗子。

作品中兩個部分的內容是相通的，具體的聯結就是明海的行動；不僅如此，兩個部分還互相印證，流貫著共通的精神——中國人的求生意志。《受戒》有著一種內在的歡樂，浸潤著深受儒家思想影響的現世主義精神，這是一首人生的讚歌，讚頌了純樸健康的人性之美。

▌ 一段傑出的篇章

因為照顧姐姐趕嫁妝，田裡的零碎活小英子就全包了。她的幫手，是明子。

這地方的忙活是栽秧、車高田水、薅頭遍草，再就是割稻子、打場子。這幾荏重活，自己一家是忙不過來的。這地方興換工。排好了

日期，幾家顧一家，輪流轉。不收工錢，但是吃好的。一天吃六頓，兩頭見肉，頓頓有酒。幹活時，敲著鑼鼓，唱著歌，熱鬧得很。其餘的時候，各顧各，不顯得緊張。

薅三遍草的時候，秧已經很高了，低下頭看不見人。一聽見非常脆亮的嗓子在一片濃綠裡唱：梔子哎開花哎六瓣頭哎……姐家哎門前哎一道橋哎……明海就知道小英子在哪裡，三步兩步就趕到，趕到就低頭薅起草來，傍晚牽牛「打汪」，是明子的事。——水牛怕蚊子。這裡的習慣，牛卸了軛，飲了水，就牽到一口和好泥水的「汪」裡，由它自己打滾撲騰，弄得全身都是泥漿，這樣蚊子就咬不透了。低田上水，只要一掛十四軋的水車，兩個人車半天就夠了。明子和小英子就伏在車槓上，不緊不慢地踩著車軸上的拐子，輕輕地唱著明海向三師父學來的各處山歌。

——《受戒》

▌ 一分鐘感悟

1. 兩個女兒，長得跟她娘像一個模子裡托出來的。眼睛長得尤其像，白眼珠鴨蛋青，黑眼珠棋子黑，定神時如清水，閃動時像星星。

2. 蘆花才吐新穗。紫灰色的蘆穗，發著銀光，軟軟的，滑溜溜的，像一串絲線。有的地方結了蒲棒，通紅的，像一枝一枝小蠟燭。

▌ 一個人的歷史

汪曾祺（西元1920年-西元1997年），江蘇高郵人，是中國當代文

學史上著名的作家、散文家、戲劇家，京派作家的代表人物。在短篇小說創作上頗有成就。著有小說集《邂逅集》，小說《受戒》、《大淖記事》，散文集《蒲橋集》，大部分作品收錄在《汪曾祺全集》中。被譽為「抒情的人道主義者，中國最後一個純粹的文人，中國最後一個士大夫。」

▌ 一點賞析的建議

《受戒》剛發表的時候，引起不小的爭議，人們奇怪於「小說也是可以這樣寫的」，不但沒有集中的故事情節，敘述分散，甚至題目只是佛門塵世生活中的一個段落。不過，小說的敘述卻曲盡自然，活潑、流動。在自然而有詩意的桃花源式的世界裡，明子和小英子的純真、素樸和朦朧的愛情，就更是格外地美。

《艾青詩選》
（1932-1982） 艾青

▌ **一句話點評**

　　艾青是中國詩壇的泰斗。

——聶魯達

▌ **一口氣速讀**

　　艾青曾在中國詩歌史上抒寫過兩段輝煌的樂章：第一次，他融匯了民族與世界兩方面的美學追求，將現代新詩推進到繼五四以後的第二座高峰；第二次，時隔半個世紀後，他又以「歸來的歌」復出詩壇，憑著更為激昂的熱情和更為成熟的藝術手法引起世人的關注。

　　《艾青詩選》收錄了詩人四十多年來所創作的詩歌和詩論七十餘篇，並在書末附了幾篇評價文章及詩人年表。其中詩有七十一首，代表了詩人各個階段、各種風格的創作情況，體現了他的創作特色。

　　從內容上看，艾青的詩大致可分為四種類型：

　　首先，艾青的大部分作品都表現出對土地、對人民的熱愛，例如〈大堰河——我的保姆〉、〈雪落在中國的土地上〉、〈農夫〉等。

　　其次，對光明、希望的追求也是艾青詩作中一個主要內容。在他

創作的初期就有一組詩作，呼喚〈太陽〉，呼喚〈黎明〉，被稱為「光明組詩」；一九七八年復出後，一首近三百行的抒情長詩〈光的讚歌〉更是將對光的讚頌推向極致。

另外，艾青還有很多描繪日常生活、自然現象的小詩，或溫情脈脈，或明快開朗，或辛辣嘲諷，無不是詩人生活、情感的體驗。〈樹〉、〈小藍花〉、〈鴿哨〉、〈傘〉、〈鏡子〉等都是這一類作品。

艾青後期詩作，感情平實而又熾烈，想像新奇而又自然，形象鮮明而又概括，語言口語化又有音韻美。這些特點在〈傘〉、〈鏡子〉、〈光的讚歌〉、〈在浪尖上〉等作品中都歷歷可見。樸素、單純、集中、明快，各種特色互相聯繫和互相依存，形成了鮮明的意境。這便是艾青的詩歌藝術魅力之所在。

▌一段傑出的篇章

大堰河，是我的保姆。

她的名字就是生她的村莊的名字，

她是童養媳。

大堰河，是我的保姆。

我是地主的兒子；

也是吃了大堰河的奶而長大了的，

大堰河的兒子。

大堰河以養育我而養育她的家，

而我，是吃了你的奶而被養育了的。

大堰河啊，我的保姆。

大堰河，今天我看到雪使我想起了你：

你的被雪壓著的草蓋的墳墓，

你的關閉了的故居簷頭的枯死的瓦菲，

你的被典押了的一丈平方的園地，

你的門前的長了青苔的石椅，

大堰河，今天我看到雪使我想起了你。

你用你厚大的手掌把我抱在懷裡，撫摸我；

在你搭好了灶火之後，

在你拍去了圍裙上的炭灰之後，

在你嘗到飯已煮熟了之後，

在你把烏黑的醬碗放到烏黑的桌子上之後，

在你補好了兒子們的為山腰的荊棘扯破的衣服之後，

在你把小兒被柴刀砍傷了的手包好之後，

在你把夫兒們的襯衣上的蝨子一顆顆的掐死之後，

在你拿起了今天的第一顆雞蛋之後，

你用你厚大的手掌把我抱在懷裡，撫摸我。

——〈大堰河——我的保姆〉（節選）

■ 一分鐘感悟

1. 為什麼我的眼睛裡常含淚水，因為我對這土地愛得很深沉……。

2. 一堵牆，像一把刀，/把一個城市切成兩片，/一半在東方/一半在西方。

3. 它也只是歷史的陳跡/ 民族的創傷……/又怎能阻擋/千萬人的/

比風更自由的思想？/ 比土地更深厚的意志？/比時間更漫長的
願望？

▌一個人的歷史

艾青（西元1910年-西元1996年），原名蔣正涵，號海澄，曾用筆
名莪加、克阿、林壁等，浙江金華人，中國現代詩人。

▌一點賞析的建議

艾青是新詩史上一位獨具風格並且有重大影響的現實主義詩人。
在他的詩中，個人的喜怒哀樂之情與時代的風雲變幻融會於一體，滾
滾的詩情與時代的脈搏一起跳動。〈大堰河——我的保姆〉的憂傷正
是農民苦難生活的真實寫照；〈北方〉、〈雪落在中國的土地上〉等詩
的悲壯，再現了抗日戰爭可歌可泣的時代；〈春雨〉的歌聲唱的是農
民翻身的幸福。他的詩，對於時代生活和人民總是那麼質樸與純真，
表現出坦蕩的赤子忠誠。

《高山下的花環》
（1982） 李存葆

▌ 一句話點評

《高山下的花環》是淨化靈魂之作。

——《十月》

▌ 一口氣速讀

在八〇年代初大量湧現的取材於自衛還擊戰的文學作品中，《高山下的花環》引起了最強烈的反響。

小說講述了七〇年代末，在中國西南邊疆，某部九連是一支團結、友愛、訓練有素的連隊。一天，連長梁三喜接到了營部批准他回家探親的報告。可是，由於新指導員趙蒙生即將到任，梁三喜只好推遲探親日期。趙蒙生是軍宣傳處的攝影幹事。梁三喜熱情地接待了他。炮兵排長靳開來直率地向指導員介紹了自己的脾氣。全連整隊歡迎新指導員的到來。趙蒙生神色不安地致了答詞，梁三喜對此有些莫明其妙。原來趙蒙生是軍隊高級幹部的兒子，在母親吳爽和妻子柳嵐的慫恿下，想來個曲線調動。

梁三喜也經常惦念他的老母梁大娘和他的愛妻韓玉秀。妻子的來信勾起了他對她的美好回憶。其實並不是連隊公務拖累了梁三喜不能

探親，而是趙蒙生不稱職的表現，使梁三喜放心不下九連。趙的行為還引起了靳開來等指戰員的不滿。

隨著中越邊境形勢的緊張，趙蒙生與其母頻繁活動要求調動。部隊果然要開往前線，趙蒙生的調令也下來了。梁三喜一反往常的容忍態度，嚴厲地譴責了趙蒙生臨陣脫逃的可恥行徑。趙蒙生只好硬著頭皮跟著部隊開拔了。

九連擔任穿插任務，炮兵排長靳開來提升為副連長，率領尖刀排在前開路。他們一路上跋山涉水，終於按時到達指定位置，並在拂曉發起攻擊。戰鬥中，司號員金小柱的腿被炸斷了，將門之子「小北京」、副連長靳開來以及梁三喜等也相繼為國捐軀。他們留下了什麼？並不是豪言壯語，而是靳開來的一張全家福照片，「小北京」的一篇〈戰爭論〉和梁三喜因父親去世借戰友們錢的一張欠帳單。

戰鬥結束後，烈士們受到了人們的懷念和嘉獎。「小北京」的父親就是雷軍長；梁三喜的親屬把撫恤金及賣豬的錢用來還債；這些人的崇高思想和行動使趙蒙生、吳爽深感愧疚。他們終於幡然醒悟，決心以實際行動重新贏得人們的信賴。

▊ 一段傑出的篇章

根據軍黨委會議記錄，十年中軍長曾四次甩過軍帽。對於甩帽的後果，有幾句順口溜作了描述：「軍長甩軍帽，每甩必不妙，不是蹲監獄，就是進幹校。」

眼前，這「雷神爺」為何又甩帽？人們目瞪口呆！

只見他在臺上來回踱了兩步又站定，雙手叉腰，怒氣難抑。

終於，炸雷般的喊聲從麥克風裡傳出：「罵娘！我雷某今晚要罵娘！」

誰也不曉得軍長為啥這般狂怒，誰也不知道軍長要罵誰的娘！

他狂吼起來：「奶奶娘！知道嗎？我的大炮就要萬炮轟鳴！我的裝甲車就要隆隆開進！我的千軍萬馬就要去殺敵！就要去拼命！就要去流血！！可剛才，有那麼個神通廣大的貴婦人，她竟有本事從幾千里之外，把電話要到我這前沿指揮所！此刻，我指揮所的電話，分分秒秒，千金難買！可那貴婦人來電話幹啥？她來電話是讓我給她兒子開後門，讓我關照關照她兒子！奶奶娘，什麼貴婦人，一個賤骨頭！她真是狗膽包天！她兒子何許人也？此人原是我們軍機關宣傳處的幹事，眼下就在你們師某連當指導員！……」

頓時，我腦袋「嗡」地像炸開一樣！軍長開口罵的是我媽媽，沒點名痛斥的就是我啊！

罵聲不絕於耳：「……奶奶娘！走後門，她竟敢走到我這流血犧牲的戰場上！我在電話上把她臭　了一頓！我雷某不管她是天老爺的夫人，還是地老爺的太太，走後門，誰敢把後門走到我這流血犧牲的戰場上，沒二話，我雷某要讓她兒子第一個扛上炸藥包，去炸碉堡！去炸碉堡！！……」

排山倒海的掌聲掩沒了「雷神爺」的痛　，撼天動地的掌聲長達數分鐘不息……

軍長又講了些啥，我一句也聽不清了。

──《高山下的花環》

■ 一分鐘感悟

1. 今後你吹笛兒，我捏眼兒，一文一武，咱倆配個搭擋吧！

2. 在那你死我活的政治漩渦中，心慈的變得狠毒，忠厚的變得狡猾，含蓄的變得外露，溫存的變得狂暴……造物主催化萬物的奧妙，是在一個「變」字呀！

■ 一個人的歷史

李存葆（西元1946年-至今），山東五蓮縣人，作家。一九六四年入伍，一九八六年畢業於解放軍藝術學院文學系。現任中國人民解放軍藝術學院副院長，少將軍銜。主要從事軍事題材的文學創作。

■ 一點賞析的建議

作品中的英雄，在嚴峻的戰爭考驗面前，以各自不同的方式，表現出非凡的英雄主義精神和動人的思想情操。這種黃鐘大呂般的形象力量，不僅存在於梁三喜、靳開來、「雷神爺」這些軍人們身上，更深藏在梁大娘、韓玉秀這些普通的勞動婦女身上，作者正是透過這些英雄和普通的百姓，真實地展現了當代軍民壯美的靈魂，這也正是《高山下的花環》最感人之處。

《萬曆十五年》
（1982） 黃仁宇

▌ 一句話點評

清末的中體西用說是為「西化」論起了個張本，而黃仁宇的西體
中用說，則是現代化論與歷史目的論下的調和之說。

——陳正國

▌ 一口氣速讀

《萬曆十五年》是黃仁宇最負盛名、也是體現其「大歷史觀」的
一部明史研究專著。一五八七年，在明朝發生了若干個容易使人忽視
的事件。這些事件，表面看來雖似末端小節，但實質上卻是以前發生
大事的癥結，也是將在以後掀起波瀾的機緣。其間的因果關係，恰是
歷史發展的重點。

黃仁宇引用典籍，特別是《神宗實錄》，就一五八七年中發生的
立儲之爭和一連串使萬曆帝感到大為不快的問題作分析，研究發生在
萬曆帝身上的變化。黃仁宇指出，雖然最後萬曆帝在種種問題上妥
協，但他由此怠政三十三年，可能是他對抗無傚之後，對文官集團的
一種報複方式。由此可以理解，明朝的皇帝表面看是有其無限權力，
但終歸也要受到傳統文化和文官集團的掣肘。

另外書中還提到海瑞、戚繼光、李贄等人，也是受到傳統文化的掣肘，而得不到有意義的發展。對海瑞，黃仁宇形容「他雖然被人仰慕，但沒有人按照他的榜樣辦事，他的一生體現了一個有教養的讀書人服務於公眾而犧牲自我的精神，但這種精神的實際作用卻至為微薄。」；對戚繼光，黃仁宇評「戚繼光的求實精神，表現於使革新不與傳統距離過遠。」；而對李贄，黃仁宇也評說李贄不過是反映明朝在儒家倫理文化趨於僵化下，思想界的苦悶和困局。全書的主旨在書中末段指出：「當一個人口眾多的國家，各人行動全憑儒家簡單粗淺而又無法固定的原則所限制，而法律又缺乏創造性，則其社會發展的程度，必然受到限制。即便是宗旨善良，也不能補助技術之不及。」

■ 一段傑出的篇章

張居正的不在人間，使我們這個龐大的帝國失去重心，步伐不穩，最終失足而墜入深淵。它正在慢慢地陷於一個「憲法危機」之中。在開始的時候這種危機還令人難於理解，隨著歲月的流逝，政事的每下愈況，才真相大白，但是恢復正常步伐的機會卻已經一去而不復返了。

以皇帝的身份向臣僚作長期的消極怠工，萬曆皇帝在歷史上是一個空前絕後的例子。其動機是出於一種報復的意念，因為他的文官不容許他廢長立幼，以皇三子常洵代替皇長子常洛為太子。這一願望不能實現，遂使他心愛的女人鄭貴妃為之悒鬱寡歡。另外一個原因，則是他在張居正事件以後，他明白了別人也和他一樣，一身而具有「陰」、「陽」的兩重性。有「陽」則有「陰」，既有道德倫理，就有私心貪欲。這種「陰」也決非人世間的力量所能加以消滅的。於是，

他既不強迫臣僚接受他的主張，也不反對臣燎的意見，而是對這一切漠然置之。他的這種消極怠工自然沒有公然以聖旨的形式宣佈，但在別人看來則已洞若觀火。

——《萬曆十五年》

▌ 一分鐘感悟

1. 這種繁重的、日復一日的儀式，不僅百官深以為苦，就是皇帝也無法規避，因為沒有他的出現，這一儀式就不能存在。

2. 他們對百姓的疾苦視若無睹，每個人都想著怎樣保持自己的地位，以獲得更多合法和非法的收入。哪位懂歷史的算算，這都過去多少年了？

▌ 一個人的歷史

黃仁宇（西元1918年-西元2000年），湖南長沙人，密西根大學歷史博士，以歷史學家、中國歷史明史專家，「大歷史觀」的宣導者之名而為世人所知。

▌ 一點賞析的建議

《萬曆十五年》是一部改變中國人閱讀方式的經典作品，他的中文版入選《新周刊》和《書城》「改革開放二十年來對中國影響最大的二十本書」。書中講述的是萬曆年間的史事，很多人都把他當作一本歷史書來讀。其實，這本書不僅僅只有這一種讀法。黃仁宇本人曾這樣解釋他的歷史觀的來源：「大歷史觀不是單獨在書本上可以看到的，尤其不僅是個人的聰明才智可以領悟獲得的。我的經驗，是幾十

年遍遊各地，聽到不同的解說，再因為生活的折磨和煎逼，才體現出來的。」因此這本書不是一個書齋學者所寫出來的作品，而是融入了作者本人奇特經歷和深刻感受的作品。在這樣的作品裡，我們可以看到很多東西，心理學的，政治學的，甚至組織學管理學的，很多現象和道理都可以觸類旁通。

《平凡的世界》
（1986） 路遙

▊ 一句話點評

路遙是一個傑出的作家，真正的作家，大寫的人。

——李星

▊ 一口氣速讀

《平凡的世界》是路遙創作的一部長篇巨著。小說以現實主義的手法描寫了二十世紀七〇年代中期到八〇年代中期中國北方農村的生活和變遷。全書共三部。

第一部於一九八二年至一九八六年間寫成，敘述時間是從一九七五年初至一九七八年初。

一九七五年初農民子弟孫少平到原西縣高中讀書，對處境相同的地主家庭出身的郝紅梅產生感情，被侯玉英發現並當眾說破後，與郝紅梅關係漸變惡劣，後來郝紅梅卻與家境優越的顧養民戀愛。孫少平高中畢業，回到家鄉做了一名教師。但他並沒有消沉，他與縣革委副主任田福軍女兒田曉霞建立了友情，在曉霞幫助下關注著外部世界。孫少平的哥哥孫少安一直在家勞動，與村支書田福堂女兒，縣城教師潤葉是青梅竹馬，卻遭到田福堂反對。經過痛苦的煎熬，孫少安到山

西與勤勞善良的秀蓮相親並結了婚，潤葉也只得含淚與向前結婚。這時農村生活混亂，旱災又火上加油，田福堂為加強自己威信，組織偷挖河壩與上游搶水，不料出了人命，為了「學大寨」，他好大喜功炸山修田叫人搬家又弄得天怒人怨。生活的航道已到了非改變不可的地步

　　第二部於一九八二年-一九八七年間寫成，敘述時間是從一九七九年初至一九八一年。

　　一九七九年十一屆三中全會後百廢待興又矛盾重重，田福堂連夜召開支部會抵制責任制，孫少安卻領導生產隊率先實行接著也就在全村推廣了責任制。頭腦靈活的少安又進城拉磚，用賺的錢建窯燒磚，成了公社的「冒尖戶」。少平青春的夢想和追求也激勵著他到外面去「闖蕩世界」，他從漂泊的攬工漢成為正式的建築工人，最後又獲得了當煤礦工人的好機遇，他的女友曉霞從師專畢業後到省報當了記者，他們相約兩年後再相會。潤葉遠離她不愛的丈夫到團地委工作，引起鍾情癡心的丈夫酒後開車致殘，潤葉感到內疚回到丈夫身邊，開始幸福生活。她的弟弟潤生也已長大成人，他在異鄉與命運坎坷的郝紅梅邂逅，終於兩人結為夫妻。往昔主宰全村命運的強人田福堂，不僅對新時期的變革牴觸，同時也為女兒、兒子的婚事窩火，加上病魔纏身，弄得焦頭爛額。

　　第三部於一九八二年-一九八八年間寫成，敘述時間是從一九八一年後期至一九八五年春天。

　　一九八二年孫少平到了煤礦，盡心盡力幹活，成了一名優秀工

人。可是，就在孫少平與田曉霞產生強烈感情的時候，田曉霞卻因在抗洪採訪中為搶救災民光榮獻身了，後來田福軍給孫少平發了封電報，少平悲痛不已。少安的磚窯也有了很大發展，他決定貸款擴建機器製磚，不料因技師根本不懂技術，磚窯蒙受很大損失，後來在朋友和縣長的幫助下再度奮起，通過幾番努力，終於成了當地社會主義建設的領頭人。但是禍不單行，少安的妻子秀蓮，在歡慶由他家出資一萬五千元擴建的小學會上口吐鮮血，確診肺癌。潤葉生活幸福，生了個胖兒子，潤生和郝紅梅的婚事也終於得到了父母的承認，並添了可愛的女兒。二十七歲的少平在一次事故中為救護徒弟也受了重傷，英俊面容盡毀，卻遇少時玩伴金波之妹告白，少平為她的前途與自己的感情選擇拒絕……他們並沒有被不幸壓垮，少平從醫院出來，面對了現實，又充滿信心地回到了礦山，迎接他新的生活與挑戰。

▋ 一段傑出的篇章

近兩年了，他沒有見曉霞的面。他原來想，一年前他沒有答理她最後的那封信，他們的聯繫也就隨之永遠地斷絕了。她將會變成自己記憶裡的一個人，而在現實中他們再不可能見面。是呀，人家是大學生，他是一個鄉巴佬，相差如同天上人間……可是，現在卻猛然和她相遇在了這秋雨綿綿的黃原街頭……

「你怎不回答我的問話呢？」她在雨傘下轉過臉，瞅著他？

「一切都很明白……」他說。

「是因為我上了大學，你仍然是個農民吧？看來，你還是世俗。」曉霞不客氣地說。

少平心裡不同意老同學對他的評價。其實，他在靈魂深處並沒有

低看自己。她顯然不瞭解他這兩年的變化。他之所以不願和她再聯繫，的確是因為兩個人在生活中的處境差異太大。但這並不是說，他認為所走的道路就比上大學低賤。是的，他是在社會的最低層掙扎，為了幾個錢而受盡折磨；但他已不僅僅將此看作是謀生活命——職業的高貴與低賤，不能說明一個人生活的價值。恰恰相反，他現在倒很「熱愛」自己的苦難。通過一段血火般的洗禮，他相信，自己歷盡千辛萬苦而釀造出的生活之蜜，肯定比輕而易舉拿來的更有滋味——他自嘲地把自己的這種認識叫做「關於苦難的學說」……。

——《平凡的世界》

▌ 一分鐘感悟

1. 苦難難道是白忍受的嗎？它應該使我們偉大！

2. 人活這一輩子，還應該有些另外的什麼才對。

3. 職業的高貴與低賤，不能說明一個人生活的價值。

4. 自己歷盡千辛萬苦而釀造出的生活之蜜，肯定比輕而易舉拿來的更有滋味。

▌ 一個人的歷史

路遙（西元1949年-西元1992年），原名王衛國，陝西清澗人，中國當代作家。一九七三年小說處女作〈優勝紅旗〉發表。一九七六年畢業後分配到陝西省文學創作研究室，後任《陝西文藝》（今《延河》）編輯。一九八○年發表〈驚心動魄的一幕〉，獲第一屆全國優秀中篇小說獎。一九八二年發表〈人生〉，引起很大反響，獲第二屆全國優秀中篇小說獎，同年成為作協陝西分會的專業作家。出版中短篇小說

集〈當代紀事〉、〈姐姐的愛情〉、〈路遙小說選〉等。一九八六年發表長篇小說《平凡的世界》，獲第三屆茅盾文學獎。〈人生〉、《平凡的世界》分別是他的中長篇代表作。

▌ 一點賞析的建議

　　《平凡的世界》以新中國歷史上變動最劇烈的時期——「文革」末期和新時期之初為背景，以陝北一個小村莊中的三個戶族——孫家、田家和金家為中心，對當代中國的政治、經濟變革的軌跡展開全景式的描寫，揭示了它們對普通百姓生活的重大影響，細膩地描寫出歷史轉折時期不同階層、不同身份地位的人物的心理，展現出社會變革中令人眼花繚亂的世態人生。

《穆斯林的葬禮》
（1987） 霍達

▌ 一句話點評

《穆斯林的葬禮》是一部穆斯林的聖潔的詩篇，充滿悲劇的美感。這部書場面十分闊大、頭緒那樣紛繁，通過一個玉器世家幾代盛衰，唱出一曲人生的詠歎。

——劉白羽

▌ 一口氣速讀

《穆斯林的葬禮》是中國當代文壇第一部成功地表現回族人民傳統文化和現實生活的長篇小說。小說以一個穆斯林家族六十年的興衰、三代人的命運沉浮和兩個發生在不同時代、有著不同內容卻又交錯扭結的愛情悲劇為線索，回顧了中國穆斯林漫長而艱難的足跡，揭示了他們在華夏文化與穆斯林文化的撞擊和融合中獨特的心理結構，以及在政治、宗教氛圍中對人生真諦的困惑和追求，展現了奇異而古老的民族風情和充滿矛盾的現實生活。

古都京華老字型大小玉器行「奇珍齋」的主人梁亦清，原是回族低層的琢玉藝人，他家有兩個女兒，長女君璧長於心計，次女冰玉嬌任性。一天有位長者帶了一名少年去麥加朝聖路過梁家，少年被精美

玉器所吸引，決定留下當學徒，這就是本書的主人公韓子奇。

師徒兩人正為一件訂貨勞作，這是專做洋人賣買的「匯遠齋」定做的「鄭和航海船」。鄭和是回族的英雄，他們決心做好這件光耀民族精神的作品，三年的精雕細刻將在中秋佳節完成。不料梁亦清突然暈倒在轉動著的玉坨上，寶船被毀，人也喪命。為了抵債，韓子奇到「匯遠齋」當了學徒，苦熬三年終成行家。

韓子奇回到奇珍齋娶了長女君璧，決心重振家業，十年之後名冠京華，又得貴子取名天星。這時，日本侵華戰爭爆發，韓子奇擔心玉器珍品被毀，便隨英商亨特來到倫敦。妻妹冰玉不顧姐姐反對，偷出家門執意隨姐夫遠行。

韓子奇與梁冰玉在海外相依為命十年，曠男怨女終於結合併生下女兒新月。戰後一同回國，姐姐收留新月為自己女兒，冰玉遠走他鄉。新月逐漸長大成人，以優異成績考上北大西語系。上學後與班主任楚雁潮發生愛情，因楚是漢族，被兩家反對，他們的愛情卻在阻撓中愈加熾熱。可是紅顏薄命，新月因嚴重心臟病不幸逝世，楚雁潮悲痛欲絕。韓子奇瞬間蒼老，母親也終於明白自己的過錯。後來韓子奇，梁君璧相繼去世，韓天星也有了一雙子女。多年以後，冰玉回來了，但一切都也物是人非了。

■ 一段傑出的篇章

末名湖上，晚霞滿天。沿岸的垂柳、國槐、銀杏，一片金黃，湖心島上的那一叢楓林，紅得豔紫，與黛青色的松柏交相輝映，在靜靜

的湖水中垂下色彩斑斕的倒影。

　　小島中心的亭子旁邊，石階上坐著新月。她穿著米色長褲和白色的毛衣，一本英文版《簡·愛》攤開在膝頭。她是那樣凝神專注地閱讀，久久地一動也不動，像一座安放在樹叢之中的漢白玉雕像。

　　……你以為我是一架自動機嗎？是一架沒有感情的機器嗎？……你以為，因為我貧窮、卑賤、不美、矮小，我就沒有靈魂，沒有心嗎？你想錯了！

　　不，新月並不能把注意力完全集中到書上，集中到簡。愛和羅徹斯特的糾葛上，她的耳旁，老是迴響著別的聲音，那是在期中考試的成績公佈之後，謝秋思在宿舍裡旁若無人地發牢騷：「哼，有啥了不起？楚老師是照顧照顧人家少數民族！」當時，鄭曉京馬上一本正經地制止她：「哎，要注意民族政策……」新月正躺在床上，面對著牆，沒有應聲，也沒有動身，她們以為她睡著了，其實，她聽得清清楚楚！什麼叫「照顧少數民族」？什麼叫「注意民族政策，難道她天生是一個弱者，永遠應該處於卑賤的地位而不允許超過別人嗎？難道她連自己取得的成績也是別人的施捨和憐憫嗎？

——《穆斯林的葬禮》

▌一分鐘感悟

1. 事業的追求，並不一定要什麼頭銜和稱號來滿足，你愛上了一種東西，願意用全部心血去研究它，掌握它，從中得到了樂趣，並且永遠也不捨得丟棄它，這就是事業心，是比什麼都重要的……。

2. 不要退路，退路從來都是留給懦夫的！

▍ 一個人的歷史

霍達（西元1945年-至今），回族，北京人，國家一級作家。一九六六年畢業於北京建築工程學院。自青年時代步入文壇，迄今著有小說、報告文學、影視劇本、散文等多種體裁的文學作品約五百萬字，成就卓著，蜚聲海內外。中篇小說〈紅塵〉一九八八年獲第四屆全國優秀中篇小說獎，長篇小說《穆斯林的葬禮》一九九一年獲第三屆茅盾文學獎。另有報告文學〈萬家憂樂〉、〈國殤〉、〈小巷匹夫〉等作品獲獎。

▍ 一點賞析的建議

這是一首穆斯林的讚歌，小說詳細地記載了中國「穆斯林」形成的時間以及他們的信仰和生活習慣，通過幾個性格鮮明的人物形象向大家展示了這個少數民族勤勞善良、自尊自信和自強不息的精神。

《朱自清散文全集》
（1990） 朱自清

■ 一句話點評

　　背影名文四海聞，少年坡老更情親。清芬正氣傳當世，選釋詩篇激後昆。

——江澤民

■ 一口氣速讀

　　散文大家朱自清以他獨特的文學藝術風格和真摯的情感為中國現代散文增添了絢爛的色彩。朱自清的散文主要是敘事性和抒情性的小品文。其作品的題材可分為三個系列：一是以寫社會生活抨擊黑暗現實為主要內容的散文，代表作品有〈生命的價格：七毛錢〉〈白種人：上帝的驕子〉和〈執政府大屠殺級〉；二是主要描寫個人和家庭生活，表現父子、夫妻、朋友間的人倫之情，具有濃厚的人情味，以〈背影〉、〈兒女〉為代表；三是以寫自然景物為主，借景抒情的小品文，如〈槳聲燈影裡的秦淮河〉、〈荷塘月色〉、〈春〉等，後兩類散文，是朱自清寫得最出色的，其中〈背影〉、〈荷塘月色〉更是膾炙人口的名篇。

■ 一段傑出的篇章

月光如流水一般，靜靜地瀉在這一片葉子和花上。薄薄的青霧浮起在荷塘裡。葉子和花彷彿在牛乳中洗過一樣；又像籠著輕紗的夢。雖然是滿月，天上卻有一層淡淡的雲，所以不能朗照；但我以為這恰是到了好處——酣眠固不可少，小睡也別有風味的。月光是隔了樹照過來的，高處叢生的灌木，落下參差的斑駁的黑影，峭楞楞如鬼一般；彎彎的楊柳的稀疏的倩影，卻又像是畫在荷葉上。塘中的月色並不均勻；但光與影有著和諧的旋律，如梵婀玲上奏著的名曲。

荷塘的四面，遠遠近近，高高低低都是樹，而楊柳最多。這些樹將一片荷塘重重圍住；只在小路一旁，漏著幾段空隙，像是特為月光留下的。樹色一例是陰陰的，乍看像一團煙霧；但楊柳的丰姿，便在煙霧裡也辨得出。樹梢上隱隱約約的是一帶遠山，只有些大意罷了。樹縫裡也漏著一兩點路燈光，沒精打采的，是渴睡人的眼。這時候最熱鬧的，要數樹上的蟬聲與水裡的蛙聲；但熱鬧是它們的，我什麼也沒有。

——〈荷塘月色〉

▌一分鐘感悟

1. 燕子去了，有再來的時候；楊柳枯了，有再青的時候；桃花謝了，有再開的時候。但是，聰明的，你告訴我，我們的日子為什麼一去不復返呢？

2. 從此我不再仰臉看青天，不再低頭看白水，只謹慎著我雙雙的腳步，我要一步一步踏在泥土上，打上深深的腳印！

3. 春天像剛落地的娃娃，從頭到腳都是新的，它生長著。春天像小姑娘，花枝招展的，笑著，走著。春天像健壯的青年，有鐵一般的胳膊和腰腳，領著我們上前去。

▌一個人的歷史

朱自清（西元1898年-西元1948年），原名自華，改名自清，號秋實，字佩弦，原籍浙江紹興，生於江蘇東海，現代著名散文家、詩人、學者、民主戰士。主要作品有散文集《蹤跡》、《背影》、《歐遊雜記》、《你我》、《標準與尺度》、《論雅俗共賞》等。

▌一點賞析的建議

朱自清的散文素樸縝密、清雋沉鬱，語言洗煉，文筆精美清麗，感情真摯淳樸，節奏跌宕有致，飽含詩意和生活情趣，要細細品味其中的藝術美感和哲理啟迪。

《黃金時代》
（1992） 王小波

▌ 一句話點評

《黃金時代》這部小說無論在國內還是海外留學生偶一露面總會造成排隊閱讀的局面。

——《人民日報》海外版

▌ 一口氣速讀

《黃金時代》是王小波的經典之一。小說是以文革時期為背景的系列作品構成的。二十世紀六七十年代的「文革」，知識分子群體在極「左」政治面前無能為力。作為倍受歧視的知識分子，往往喪失了自我意志和個人尊嚴。在這組系列作品裡面，名叫「王二」的男主人公處於恐怖和荒謬的環境，遭到各種不公正待遇，但他卻擺脫了傳統文化人的悲憤心態，創造出一種反抗和超越的方式，既然不能證明自己無辜，便傾向於證明自己不無辜。於是他以性愛作為對抗外部世界的最後據點，將性愛表現得既放浪形骸又純淨無邪，不但不覺羞恥，還轟轟烈烈地進行到底，對陳規陋習和政治偏見展開了極其尖銳而又飽含幽默的挑戰。一次次被鬥、挨整，他都處之坦然，樂觀為本，獲得了價值境界上的全線勝利。作者用一種機智的光輝燭照當年那種無處不在的壓抑，使人的精神世界從悲慘暗淡的歷史陰影中超拔出來。

■ 一段傑出的篇章

我是這麼想的：假如我想證明她不是破鞋，就能證明她不是破鞋，那事情未免太容易了。實際上我什麼都不能證明，除了那些不需證明的東西。春天裡，隊長說我打瞎了他家母狗的左眼，使它老是偏過頭來看人，好像在跳芭蕾舞。從此後他總給我小鞋穿。我想證明我自己的清白無辜，只有以下三個途徑：1、隊長家不存在一隻母狗；2、該母狗天生沒有左眼；3、我是無手之人，不能持槍射擊。結果是三條一條也不成立。隊長家確有一棕色母狗，該母狗的左眼確是後天打瞎，而我不但能持槍射擊，而且槍法極精。在此之前不久，我還借了羅小四的汽槍，用一碗綠豆做子彈，在空糧庫裡打下了二斤耗子。當然，這隊裡槍法好的人還有不少，其中包括羅小四。汽槍就是他的，而且他打瞎隊長的母狗時，我就在一邊看著。但是我不能揭發別人，羅小四和我也不錯。何況隊長要是能惹得起羅小四，也不會認準了是我。所以我保持沉默。沉默就是默認。所以春天我去插秧，撅在地裡像一根半截電線杆，秋收後我又去放牛，吃不上熱飯。當然，我也不肯無所作為。有一天在山上，我正好借了羅小四的汽槍，隊長家的母狗正好跑到山上叫我看見，我就射出一顆子彈打瞎了它的右眼。該狗既無左眼，又無右眼，也就不能跑回去讓隊長看見——天知道它跑到哪兒去了。

——《黃金時代》

■ 一分鐘感悟

1. 後來我才知道，生活就是個緩慢受錘的過程，人一天天老下去，奢望也一天天消失，最後變得像挨了錘的牛一樣。

2. 人都是為了表演，失去了自己的存在。

▋ 一個人的歷史

王小波（西元1952年-西元1997年），北京人，作家，被譽為中國的喬伊絲兼卡夫卡。王小波年輕時在雲南農場當過知青，插過隊，作過工人、老師。一九七八年至一九八二年在中國人民大學學習。一九八八年獲匹茲堡大學碩士學位。後任教於北京大學和中國人民大學。一九九二年後開始成為自由撰稿人。

▋ 一點賞析的建議

王小波的作品中，貫穿著其特有的黑色幽默，這些也表明了王小波對於生命和生活的態度。王小波的一系列小說都以自己所經歷過的生活作為藍本，如下放到雲南的知識青年，在某個醫院或高等專科學校從事技術工種的工程師等等，作品的年代背景也與王小波的生活與成長時期相重疊，在這些作品中，他刻畫了這樣一種現實：「我看到一個無智的世界，但是智慧在混沌中存在；我看到一個無性的世界，但是性愛在混沌中存在；我看到一個無趣的世界，但是有趣在混沌中存在」。

《活著》
（1992） 余華

■ 一句話點評

《活著》不僅寫的十分生動感人，而且是一部偉大的書。

——《柏林日報》

■ 一口氣速讀

《活著》是余華的第一部長篇力作，小說描述了一位江南少年的成長經歷和心靈歷程。時間跨度從抗戰結束後的二十世紀四〇年代到文革後的八〇年代。貫穿小說的是一位孤獨老人對自己大半生的追憶，歷經滄桑而又榮辱不驚，講述人如何去承受巨大的苦難，人是為了活著本身而活著，而不是為了活著之外的任何事物而活著。《活著》像一支古老的歌謠，在向我們傾述著一個生命中脆弱與頑強、驕傲與哀傷的真相，讓我們懂得卑微生命中蘊藏著些微的卻如金子般閃亮的光芒，明白人性的溫情是如何一步步把苦難的人們變得自信而寬容、堅實而又無所畏懼。

小說中的主人翁福貴是民國時期的一個地主家的少爺，年輕時由於嗜賭放蕩，終於賭光了家業後一貧如洗，窮困之中的福貴因為母親生病前去求醫，沒想到半路上被國民黨部隊抓了壯丁，後被解放軍所

俘虜，回到家鄉他才知道母親已經去世，妻子家珍含辛茹苦帶大了一雙兒女，但女兒不幸變成了聾啞人，兒子機靈活潑。然而，真正的悲劇從此才開始漸次上演。

大躍進時期到來了，兒子有慶因為過於勞累躺在牆腳睡覺，結果被新來的區長倒車的時候把牆撞倒壓的血肉模糊。接著就是一場更為誇張的運動到來了。福貴的皮影戲傢伙什作為「四舊」被首先滅掉。鳳霞和一個跛子工人萬二喜結婚。鳳霞馬上就要生產了，可因為得不到及時有效的醫療護理，在一片慌亂中死去了。幾年後，鳳霞的兒子已經長大，福貴一家安詳的在冬日午後的陽光下平淡的生活著就像一切都沒有發生過一樣，只剩得老了的福貴伴隨著一頭老牛在陽光下回憶。

■ 一段傑出的篇章

往後的日子我只能一個人過了，我總想著自己日子也不長了，誰知一過又過了這些年。我還是老樣子，腰還是常常疼，眼睛還是花，我耳朵倒是很靈，村裡人說話，我不看也能知道是誰在說。我是有時候想想傷心，有時候想想又很踏實，家裡人全是我送的葬，全是我親手埋的，到了有一天我腿一伸，也不用擔心誰了。我也想通了，輪到自己死時，安安心心的死就是了，不用盼著收屍的人，村裡肯定會有人來埋我的，要不我人一臭，那氣味誰也受不了。我不會讓別人白白埋我的，我在枕頭底下壓了十元錢，這十元錢我餓死也不會去動它的，村裡人都知道這十元錢是給替我收屍的那個人，他們也都知道我死後是要和家珍他們埋在一起的。

這輩子想起來也是很快就過去了，過得平平常常，我爹指望我光耀祖宗，他算是看錯我了，我啊，就是這樣的命。年輕時靠著祖上留下的錢風光了一陣子，往後就越過越落魄了，這樣反倒好，看看我身邊的人，龍二和春生，他們也是風光了一陣子，到頭來蜜罐都丟了。做人還是平常點好，爭這個，爭那個，爭來爭去賠了自己的命。像我這樣，說起來是越混越沒出息，可壽命長，我認識的人一個挨著一個死去，我還活著。

——《活著》

■ 一分鐘感悟

1. 我知道黃昏在轉瞬即逝，黑夜從天而降了。我看到廣闊的土地袒露著結實的胸膛，那是召喚的姿態，就像女人召喚她們的兒女，土地召喚著黑夜的來臨。

2. 做人還是平淡點好，爭這個，爭那個，爭來爭去賠了自己的性命。

■ 一個人的歷史

余華（西元1960年-至今），浙江海鹽縣人，原籍山東高唐，現代作家。余華一九八三年開始創作，是中國大陸先鋒派小說的代表人物，與葉兆言和蘇童等人齊名。主要作品有中短篇小說〈十八歲出門遠行〉、〈一九八六年〉、〈河邊的錯誤〉、〈現實一種〉、〈在劫難逃〉、〈世事如煙〉、〈古典愛情〉、〈黃昏裡的男孩〉等，長篇小說《在細雨中呼喊》、《活著》、《許三觀賣血記》。

▍ 一點賞析的建議

《活著》一書值得反覆閱讀，尤其是福貴還債、鳳霞夜歸、有慶餵羊、鳳霞之死、家珍之死、福貴買牛等情節。不僅讀故事，更要體悟命運和生活，並且從中感受語言藝術之讓人哭、讓人笑、使人感、使人歎的魅力。

《白鹿原》
（1992）陳忠實

▌一句話點評

《白鹿原》肯定是大陸當代最好的小說之一，比之那些獲得諾貝爾文學獎的小說並不遜色。

——梁亮

▌一口氣速讀

《白鹿原》以陝西關中平原上素有「仁義村」之稱的白鹿村為背景，以白嘉軒與鹿子霖兩戶人家為主線，長工鹿三，聖人朱先生等人物為副線，以清朝瓦解、軍閥混戰、國共鬥爭直至新中國成立這一段歷史為背景，濃墨重彩地勾勒了白鹿原上近半個世紀的人生形態和近現代歷史演進的軌跡。

連續娶妻的白嘉軒在去找風水先生路上在鹿子霖的地裡發現一顆像白鹿的草藥，後設計將此地買了過來，將父親的陵墓移到此地。幾年後，白嘉軒家道殷實，娶妻吳仙草，生子白孝文，白孝武。

民國建立，收印章稅盤剝百姓，白嘉軒發雞毛傳貼，掀起原上「交農具」事件。鄉約田福賢、鹿子霖分化瓦解造反百姓，拖住了白嘉軒等領頭人。危難關頭，長工鹿三挺身而出，「交農具」鬥爭勝

利，鹿三被捕。白嘉軒多方營救，鹿三出獄。

民國以後，風氣漸變，白嘉軒懲治了村內煙鬼，卻沒能阻止女兒白靈進城上學。黑娃反感族長的腰板，輟學出門去當長工，結識了東家的小女人小娥。二人相好相愛。黑娃帶著妓女出身的小娥回到白鹿原，受到鹿三堅決反對，被族長開出宗祠。兆鵬躲在城堅，逃避舊式婚姻，後回鄉做白鹿鎮新式學校校長。兩代人在婚姻問題上發生重大分歧。

國共分裂，兆鵬逃進山裡，重組農協武裝，不久失敗。田福賢帶兵回來，組建民團，反攻倒算，收繳分走的財物，大肆屠殺農協會員。白嘉軒一面感歎白鹿原成了「鍪子」，一面派孝文重修祠堂。鹿子霖又當上鄉約。黑娃逃走，後來做了土匪。鹿子霖趁人之危，霸佔了小娥，不巧被人發現。小娥受到代族長孝文的當眾毒打，鹿子霖命小娥勾引孝文。黑娃回來，洗劫了白鹿兩家，打折了白嘉軒的腰板。白嘉軒被告知孝文與小娥鬼混，精神幾乎崩潰，下重手公開懲罰了孝文，白鹿原饑荒年代，孝文敗家，孝武接替了孝文的位置。孝文又當了保安團團長，鹿三殺死小娥，黑娃回來復仇，兆鵬一度被捕。朱先生承擔賑災重任。極度暗淡的年代，白靈成了地下黨員，感情漸漸遠離兆海，同共產黨的領導人兆鵬結合。

瘟疫襲來，村裡人相繼染病死去，白鹿原又陷入恐慌。鹿三發瘋，小娥冤魂顯靈，白嘉軒建塔鎮妖。孝武做了族長，孝文捉住了黑娃又私下放走，二人化敵為友。土匪頭子被殺，白孝文說服黑娃歸順政府，二人榮歸故里。白靈作地下工作時行蹤洩漏，幸得國民黨軍官

兆海幫助,逃入根據地,在一次肅反中被活埋。抗日戰爭爆發,兆海立志報國,卻死在一次對蘇區的進犯中,以烈士之名隆重歸葬故土。朱先生謝世。

幾年之後,兆鵬成瞭解放軍先遣支隊聯絡科長,他策動黑娃起,孝文也順時起義,革命勝利。半年之後,人民政府縣長白孝文以土匪、殺害共產黨等罪名鎮壓了副縣長黑娃鹿兆謙。

▌一段傑出的篇章

大年初一未明,黑娃和他的三十六弟兄就聚在祠堂門外,他手裡提著一個鐵錘, 當一聲,只需一下,鐵鎖連同大門上的鐵環一起掉到地上。黑娃領頭走進祠堂大門,突然觸景生情想起跪在院子裡挨徐先生板子的情景。他沒有遲疑就走上臺階,又一錘砸下去,祠堂正廳大門上的鐵鎖也跌落到地上。地上掃得乾乾淨淨,供祖宗的大方桌上也擦拭乾淨了,供著用細麵做成的各式果品,蠟上凝結著燒流了的紅色蠟油,香爐裡落著一層香灰,說明白嘉軒在三十日夜晚剛剛燒過香火。黑娃久久站在祭桌前頭,瞅著正面牆上那幅密密麻麻寫著列祖列宗的神軸兒,又觸生出自己和小娥被拒絕拜祖的屈辱。他說:「弟兄們快點動手,把白嘉軒的這一套玩藝兒統統收拾乾淨,把咱們的辦公桌擺開來。」他走出正廳再來到院子,瞅著栽在庭院正中的「仁義白鹿村」的石碑說:「把這砸碎。」兩聲脆響,石碑斷裂了。黑娃一手叉腰一手指著鑲在正廳門外兩邊牆壁上的石刻鄉約條文說:「把這也挖下來砸了。」當黑娃和他的弟兄們在祠堂裡又挖又砸的時候,白鹿村的族人圍在門口觀看,卻沒有一個人敢走進去阻攔。有人早把這邊

的動靜悄悄告訴了族長白嘉軒，他竟然平心靜氣地說：「噢！這下免得我交鑰匙了。」

——《白鹿原》

▌ 一分鐘感悟

1. 人說「瞻前顧後」，前後總是不能兼顧，就只能是先瞻前而後顧後；生死不能同時顧全，那就先顧生而後顧死。
2. 聖人能看透凡人的隱情隱秘，凡人卻看不透聖人的作為；凡人和聖人之間有一層永遠無法溝通的天然界隔。聖人不屑於理會凡人爭多嫌少的七事八事，凡人也難以遵從聖人的至理名言來過自己的日子。

▌ 一個人的歷史

陳忠實（西元1942年-至今），陝西西安人，當代著名作家。一九六五年開始發表處女作〈夜過流沙溝〉。一九七九年加入中國作家協會。著有短篇小說集《鄉村夕》、《到老白楊樹背後去》，中篇小說集《初夏》、《四妹子》，散文集《告別白鴿》，以及《陳忠實小說自選集》（3卷），《陳忠實文集》（5卷）。《白鹿原》獲第四屆茅盾文學獎。

▌ 一點賞析的建議

《白鹿原》突破了同類題材反映現代中國社會似乎只有革命運動的歷史，從道德、文化、人性、心靈多處著眼，在我們面前展開了宏大的全景史。在歷史動因的揭示上，深刻開掘了社會運動、政治軍事

鬥爭，並形象展示了對民族精神和文化傳統的維護和揚棄、固守和更替。與此相聯繫，《白鹿原》對中國農村社會舞臺的歷史主角作了新的確認。作品通過白嘉軒和鹿子霖兩個形象複雜關係的展示，寫了近代農村生活中精神領袖和政治領袖的適度分離，寫了中國現代政治鬥爭和村社政治生活的若即若離，寫了精神領袖有時較之世俗行政領袖對生活有更大的主宰力。

《文化苦旅》
（1992） 余秋雨

▋ 一句話點評

余秋雨是中國二十世紀最後一位散文大師。

——著名評論家樓肇明

▋ 一口氣速讀

《文化苦旅》是余秋雨的第一部散文合集，所收作品主要包括兩部分，一部分是歷史、文化散文，散點論述，探尋文化；另一部分是回憶散文。書中有提到的景點有很多，每一個景點都帶給余秋雨不同的感觸和震撼。觸碰到中國幾千年的文化，見證一路走來深刻的歷史痕跡。

《文化苦旅》全書的主題是憑藉山水風物以尋求文化靈魂和人生真諦，探索中國文化的歷史命運和中國文人的人格構成。其中〈道士塔〉、〈陽關雪〉等，是通過一個個古老的物象，描述了大漠荒荒的黃河文明的盛衰，歷史的深邃蒼涼之感見於筆端。〈白髮蘇州〉、〈江南小鎮〉等卻是以柔麗淒迷的小橋流水為背景，把清新婉約的江南文化和世態人情表現得形神俱佳。〈風雨天一閣〉、〈青雲譜隨想〉等直接把筆觸指向文化人格和文化良知，展示出中國文人艱難的心路歷

程。此外，還有早已傳為名篇的論析文化走向的文章〈上海人〉、〈筆墨祭〉，以及讀者熟知的充滿文化感慨的回憶散文〈牌坊〉〈廟宇〉、〈家住龍華〉等。作者依仗著淵博的文學和史學功底，豐厚的文化感悟力和藝術表現力所寫下的這些文章，不但揭示了中國文化巨大的內涵，而且也為當代散文領域提供了嶄新的範例。

■ 一段傑出的篇章

我不禁又歎息了，要是車隊果真被我攔下來了，然後怎麼辦呢？我只得送繳當時的京城，運費姑且不計。但當時，洞窟文獻不是確也有一批送京的嗎？其情景是，沒裝木箱，只用席子亂捆，沿途官員伸手進去就取走一把，在哪兒歇腳又得留下幾捆，結果，到京城時已零零落落，不成樣子。

偌大的中國，竟存不下幾卷經文！比之於被官員大量糟踐的情景，我有時甚至想狠心說一句：寧肯存放在倫敦博物館裡！這句話終究說得不太舒心。被我攔住的車隊，究竟應該駛向哪裡？這裡也難，那裡也難，我只能讓它停駐在沙漠裡，然後大哭一場。

我好恨！

不止是我在恨。敦煌研究院的專家們，比我恨得還狠。他們不願意抒發感情，只是鐵板著臉，一鑽幾十年，研究敦煌文獻。文獻的膠捲可以從外國買來，越是屈辱越是加緊鑽研。

我去時，一次敦煌學國際學術討論會正在莫高窟舉行。幾天會罷，一位日本學者用沉重的聲調作了一個說明：「我想糾正一個過去的說法。這幾年的成果已經表明，敦煌在中國，敦煌學也在中國！」

中國的專家沒有太大的激動，他們默默地離開了會場，走過王道士的圓寂塔前。

▌ 一分鐘感悟

1. 只要是智者，就會為這個民族產生一種對書的企盼。他們懂得，只有書籍，才能讓這麼悠遠的歷史連成纜索，才能讓這麼龐大的人種產生凝聚，才能讓這麼廣闊的土地長存文明的火種。

2. 社會污濁中也會隱伏著人性的大合理，而這種大合理的實現方式又常常怪異到正常的人們所難以容忍。反之，社會的大光亮，又常常以犧牲人本體的許多重要命題為代價。單向完滿的理想狀態，多是夢境。人類難以掙脫的一大悲哀，便在這裡。

▌ 一個人的歷史

余秋雨（西元1946年-至今），浙江餘姚人，當代中國文化史學者，作家，中國當代著名藝術理論家。一九六八年，畢業於上海戲劇學院戲劇文學系。其文化散文集，在二十世紀六〇年代至21世紀初的中國大陸最暢銷書籍中佔據了非常重要的地位，在臺灣、香港等地也有很大影響。

▌ 一點賞析的建議

《文化苦旅》書是一本最令人動容的散文集，透過中國大陸的自然景物，寫這一代中國人心靈中的糾結，是一本有關中國美學的書，深入淺出，但又有震撼人心的藝術力量，處處都有值得人去思考的地方。

《突出重圍》
（1997） 柳建偉

▌ 一句話點評

柳建偉能在軍事文學的氣度上超過許多同類題材的作品，完全是一種大家氣度。

——蔡葵

▌ 一口氣速讀

《突出重圍》描寫了一場類比高科技條件下的局部戰爭的無導演部大學習。一個裝備精良，代表目前中國軍隊主體力量的滿編甲種師在與裝備了高科技技術的乙種師的戰術對抗中屢遭敗績，深刻地提示了中國軍隊在二十世紀末世界軍事、政治、經濟格局中所面臨的嚴峻的生存挑戰。

裝備精良、代表目前中國軍隊主體力量的滿編甲種師A師充當紅軍一方，而讓實力較弱的乙種師C師擔任藍軍一方。按照演習「想定」的規定，擔任「紅方」的A師必勝，擔任「假設敵人」的藍方C師必敗。但「藍方」利用自籌資金建立起來的高技術戰場監控系統發現了「紅方」攻擊中的漏洞，決定打破原有的演習規則，成功地佔領了「紅方」師指揮部。

「藍方」演習「違規」，導致了A師的慘敗，此事震動了軍區上下。軍區決定以此為例，對部隊訓練進行大膽改革，搞一次不事先定勝負、不設導演部的高技術戰爭背景下的對抗大演習，以此把部隊的科技練兵和品質建設推上新臺階。

很快，一場代號為「世紀閃電」的高技術戰爭背景的對抗演習在小涼河兩岸展開。擔任「藍方」仍是上次演習中「犯規」的C師，擔任「紅方」的仍然是在上次演習中失敗的A師。在新的戰爭樣式面前，他們由於作戰觀念和武器裝備落後，在「藍方」發動的電子戰、信息戰和遠端精確打擊面前，很快又失敗了。

A師的再次失敗，引起了軍區黨委更深刻的思考。於是軍區決定演習繼續進行，對A師也進行武器裝備方面的加強。從思想觀念到作戰方法、作戰手段，都進行了重大調整和改革，終於在第三次大演習中，用自己的電子戰、信息戰和遠端精確打擊等手段徹底戰勝了「藍方」，掌握了未來作戰的主動權。號稱為「2000對抗軍事演習」的拼死廝殺，在持續進行了五十四天以後終於結束了。

▌ 一段傑出的篇章

范英明走下石頭，和唐龍、劉東旭一起迎了上去。方英達沒作停頓，直接登上了巨石。

方英達用目光仔仔細細撫摸著這支有著輝煌歷史的部隊，顫著嗓音說話了：「知道你們租借了藍軍的佔領地開這個會，我就趕來了。我很想在這個場合對你們說幾句話。你們連敗兩陣，再也輸不起了。你們每個士兵都是好樣的。你們不是不能打勝仗，這一點我深信不

疑。可是你們師敗了，陷入重重包圍之中。演習中，你們師出了不少問題，甚至出了蛻化變質的敗類。這是你們必須正視的現實。我專程趕來，是想告訴你們，軍區首長，甚至總部首長，是相信你們的。你們一定能克服一切困難，從重重包圍中突出去。你們有沒有信心？」

一個山崩地裂一樣的聲音炸了出來：「有──」

方英達突然間在石頭上晃動起來。唐龍和范英明相繼衝上巨石，扶住了方英達。

方英達用盡最後力氣吼一聲：「看不見你們勝利，我死不瞑目──」身子像一攤泥一樣朝下滑去。

陳皓若在石頭下面喊：「快，快送醫院──」

范英明目送飛機升空後，抹了一把臉上的雨水和淚水，「你們都看到了，都聽到了。我們決不能讓老師長死不瞑目。只有一條路可走：殺出一條血路，突出重圍！」

幾千人有節律地喊道：「殺出血路，突出重圍！殺出血路，突出重圍！」

──《突出重圍》

■ 一分鐘感悟

1. 人才倒是個人才，這種浮躁而有才的年輕人，捧著捧著就捧成趙括了，將來只會紙上談兵。

2. 對未來更加輝煌尚有希冀，更多的則是志得意滿的溫和了。

■ 一個人的歷史

柳建偉（西元1963年-至今）河南省鎮平縣人。中國作家協會第

七屆全國委員會主席團委員。一九八五年開始發表作品，有小說、評論、報告文學三百餘萬字面世。主要作品有長篇小說《北方城郭》、《突出重圍》、《英雄時代》，長篇報告文學《紅太陽白太陽》等。

▌ 一點賞析的建議

《突出重圍》最大的成功，是主題和內容都具有鮮明的前瞻性。作品敢於把部隊的矛盾和社會腐敗現象結合起來寫，這樣，軍事演習的故事也就深刻地揭示了中國軍隊所面對的多方面的現實處境和未來可能面臨的嚴峻挑戰。小說能夠在當今的中國引起讀者在理性層面上產生巨大的共振，無不依靠這種前瞻性，無不依靠作家對未來比較闊大和深遠的思考。

昌明文庫·閱讀國學 A0602002

一口氣讀完百部中國名著　下冊

編　　著	李志敏	
責任編輯	蔡雅如	
發 行 人	陳滿銘	
總 經 理	梁錦興	
總 編 輯	陳滿銘	
副總編輯	張晏瑞	
編 輯 所	萬卷樓圖書股份有限公司	
排　　版	菩薩蠻數位文化有限公司	
印　　刷	百通科技股份有限公司	
封面設計	菩薩蠻數位文化有限公司	

出　　版　昌明文化有限公司

桃園市龜山區中原街 32 號

電話 (02)23216565

發　　行　萬卷樓圖書股份有限公司

臺北市羅斯福路二段 41 號 6 樓之 3

電話 (02)23216565

傳真 (02)23218698

電郵 SERVICE@WANJUAN.COM.TW

大陸經銷

廈門外圖臺灣書店有限公司

電郵 JKB188@188.COM

ISBN 978-986-94911-4-3

2018 年 1 月初版二刷

2017 年 5 月初版

定價：新臺幣 300 元

如何購買本書：

1. 劃撥購書，請透過以下郵政劃撥帳號：

帳號：15624015

戶名：萬卷樓圖書股份有限公司

2. 轉帳購書，請透過以下帳戶

合作金庫銀行 古亭分行

戶名：萬卷樓圖書股份有限公司

帳號：0877717092596

3. 網路購書，請透過萬卷樓網站

網址 WWW.WANJUAN.COM.TW

大量購書，請直接聯繫我們，將有專人為您

服務。客服：(02)23216565 分機 10

如有缺頁、破損或裝訂錯誤，請寄回更換

國家圖書館出版品預行編目資料

一口氣讀完百部中國名著 / 李志敏編著. --

初版. -- 桃園市：昌明文化出版；臺北市：

萬卷樓發行, 2017.05　冊 ；　公分. -- (昌明文

庫. 閱讀國學 ；A0602002)

ISBN 978-986-94911-4-3(下冊 ：平裝)

1.推薦書目

012.4　　　　　　　　　　　　106008391

本著作物經廈門墨客知識產權代理有限公司代理，由中國紡織出版社授權萬卷樓圖書
股份有限公司出版、發行中文繁體字版版權。